未来につなげる みつけるSDGs

やさしくわかる 食品ロス

捨てられる食べ物を減らすために知っておきたいこと

西岡 真由美 ［著］

小野﨑 理香 ［絵］

技術評論社

はじめに

　世界中で、まだ食べることができるのに、捨てられてしまう食品がたくさん生まれています。
　みなさんも、どこかでこの問題を、耳にしたことがあるのではないでしょうか？

　世界には、たくさんの食品を捨てている人たちと、満足のいく食べ物が手に入らず、飢えに苦しむ人たちの両方が存在しています。あまるほどの食べ物があるなら、困っている人に分けてあげたい。そう思うみなさんも多いことでしょう。世界の国や地域が協力して、みんなが豊かな食卓につけるようにするには、どうしたらよいのでしょう。これは、シンプルなようで、とても複雑な問いです。

　また、豊富な食品に囲まれて暮らしている私たちは、自分が口にする食品のことを、どれだけ知っているでしょうか。日本では、ほとんどの人に十分な食品が、いつでも便利に手に入るしくみが整っています。このしくみが発展するほど、食品をつくる人や場所と、食べる人の距離は、どんどん遠くなっていくようにも思われます。

　外国から運ばれてくる食品はもちろんのこと、肉やたまごを得るために、育てられている動物たちの姿を、身近に見ることのできる人は少なくなっています。命を食べ物に変えて、そのバトンを受け取る場所は、さまざまな理由から、遠ざけられてしまうこともあります。

　食べやすく切り分けられ、きれいに包まれた食品は、どこで、どのようにつくられ、どのような道のりをたどってやってくるのでしょう。つくる人たちと私たちは、どのようにつながり合っているのでしょう。

　食品ロスの問題を考えることは、それにも増して、食品そのものと、その背景を知ることの大切さにつながっているのではないでしょうか。そうした想いから、本書をつくりました。

　本書ではまず、世界と日本の食品ロスの現状と、食品ロスが生まれる場面についてまとめています。つづいて、さまざまな食品が、食卓にやってくるまでの長い道のりを紹介するとともに、道のりの途中でつながり合っている、さまざまな人やものを見渡していきます。意外な結びつきが見つかるかもしれません。
　そして最後に、食品ロスを減らすための取り組みについても紹介しています。
　ぜひ手に取って、読み進めてみてください。

　食べることは、生きていくこと、そしてさまざまな人やものとつながりを持つこと。食品について考えることは、私たちが、これからどのように生きていくのかを考えることに近いかもしれません。一緒に考えていくヒントが、この本の中にもあると、うれしく思います。

　最後になりますが、本企画を常にサポートしてくださった技術評論社の最上谷栄美子さん、ついつい顔のほころぶ、かわいらしいイラストを添えてくださった小野﨑理香さん、そして、さまざまなアドバイスをくださった、各界でご活躍される先生方に、この場を借りて、厚く御礼申し上げます。

2023年10月　西岡 真由美

目次

0章 (序章) 食品ロスってなんだろう? 13

1章 食品は捨てるほどたくさんあるの? 25

2章 食べ物はどうやって食卓まで届くの？ 35

3章 食品でどうやって世界はつながっているの？ 69

4章 食品ロスを減らすにはどうしたらいいの？ 89

5章 食品ロスを減らすためにできること 109

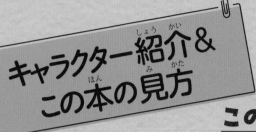

キャラクター紹介＆この本の見方

この本で登場するキャラクター

この本ではウサギさん、カエルさんが日ごろ疑問に思うことをネコさんに質問します。
ネコさんはその疑問について、丁寧に解説してくれます。

ウサギさん

最近、話題になっている
食品ロスが気になりだした
ウサギさん。
食品がどうやって食卓に届くのか、
どこで食品ロスが
生まれているのかを知りたくて
勉強をはじめた。

カエルさん

特に食料がつくられる
環境が気になる
カエルさん。
これからもおいしい食品が
手に入るのか、
ご飯は食べられるのか
気になっている。

この本の見方

この本では、解説文をよりわかりやすくするために、イラストやキャラクターの会話で説明しています。また、キャラクターの会話だけでは難しい言葉は、各ページのコラムでさらに詳しく説明をしています。

最初から順番に読んでいただけるようにしていますが、気の向くままにページを開いて読みはじめてみてください。

---

05 農作物がたくさん手に入るのは当たり前のことなの？

改良を重ねて新しい品種がつくられている

農作物によって品種もさまざま

味や性質のちがうさまざまな品種があることは、米にかぎったことではありません。たとえば、ジャガイモにも、男爵いもやメークイン、キタアカリなど、みなさんにもおなじみのさまざまな品種があります。

品種改良が必要な理由

農業は、天気や土の性質、水の量などの環境に左右されます。また、季節や地域によって、害虫や雑草が作物の生育に影響をあたえるため、農薬や除草剤などを使った対策をする必要も出てきます。

さらに、こうした対策をして、広い田畑のすべて

品種改良でめざすもの

に目を配るには、人手が必要ですが、農業をする人の高齢化や、今後の人手不足が心配されています。

そこで、より育てやすく、おいしい品種をつくる、品種改良に期待が高まっています。

より良い性質を持った品種をつくる方法には、どのようなものがあるのでしょうか。

古くは、良い品種どうしをかけ合わせることをおこなってきました。その後、強い放射線や化学物質を使い、DNAに変化（突然変異）を起こさせる方法なども使われるようになりました。さらに近年、あらたに登場したのが、遺伝子組み換えやゲ

DNAや遺伝子、ゲノムってなんだろう？

人も動物も、生物はみんな、目に見えないほど小さな細胞が集まって、体をつくっています。細胞がどのように集まり、どのような役割をするのかを決める情報は、細胞の中にあるDNAという物質に記録されています。DNAは、とても長いひもの形をしており、一つひとつの小さな細胞は、DNAに、その生物に必要なすべての情報を記録しています。DNAのところどころに、体の中でいろいろな働きをする

たんぱく質をつくるための遺伝情報が書かれた遺伝子という場所があります。この遺伝子を含む、DNA全体をゲノムと呼び、ゲノムは、体をつくり、生きていくために必要な情報のセットになっています。ゲノムのわずかなちがいが、体や体の一部の違いや、個性も生み出します。稲の場合でも、生育できる環境のちがいや、米の味のちがいが生まれるのです。

遺伝子は、自然の中でも突然変異を起こしながら、少しずつちがう性質を持つ植物を生み出していますが、これを人の手でおこなう技術には、さまざまな意見があるようです。安全性を保ちながら、必要とされる性質を持つ品種をつくる努力がおこなわれています。

解説文

コラム

ネコさん

食品がつくられる環境や、どうやって食卓まで食品が届けられるかなど、幅広い知識を持つ物知りネコさん。ウサギさんとカエルさんの疑問に丁寧に答えてくれる。

この本によく出てくる キーワード

出典：大辞泉

食べ物をあらわす言葉には、いくつかの種類があり、それぞれ意味が少しずつ異なります。

はじめに、食べ物をあらわす言葉を紹介します。

食料

食用にする物。食べ物全般を指す言葉です。

食糧

同じく「しょくりょう」と読み、食料とほぼ同じ意味を持ちますが、特に、米や麦などの主食となる食べ物を指して使う言葉です。

糧は、一文字でも食べ物を指して使われますが、古い時代の旅などに、携帯して運んだ食べ物の意味でも使われるそうです。

食品

人が食用にする品物をまとめて指す言葉です。直接料理の材料にしたり、そのまま食べたりすることができる食用の品、飲食品を示します。家畜や動物のエサ（飼料）ではなく、「人にとって」の食べ物というところがキーワードです。

食材

料理の材料を指す言葉です。

フードチェーンに関わるさまざまな人たち

この本の中には、次のように食品に関わるさまざまな役割を持った人が登場します。
読み進める中で、疑問に思ったときは、こちらのキーワードで確認してください。

つくる人

生産者
農家・漁業者

食品製造業者
（食品メーカー）

生産者などから原料を手に入れ、加工・調理して、消費者の口に入るものをつくる人

運ぶ人

物流業者

つなぐ人

卸売業者

つくる人から仕入れた食品の品質を管理し、売れる量と在庫をコントロールしながら、売る人の必要なとき、必要な食品を届ける人

売る人

小売店

スーパーやコンビニエンスストア、八百屋など、買う人に直接食品を売る人

外食産業事業者

レストラン、ファストフード店などの飲食店やカフェなどを営む人

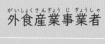

倉庫での保管や必要な梱包などをおこない、トラックや船、飛行機、貨物列車などを使って食品を運ぶ人

買う人

消費者

食べる人

11

ご注意：必ずお読みください

●本書記載の内容は、、2023年10月20日現在の情報です。そのため、ご購入時には変更されている場合もあります。

●本書に記載された内容は、情報の提供のみを目的としています。本書の運用については、必ずお客様自身の責任と判断によって行ってください。これらの情報の運用の結果について、技術評論社および著者はいかなる責任も負いかねます。

●本書の全部または一部について、小社の許諾を得ずに複製することを禁止しております。

以上の注意事項をご承諾いただいた上で、本書をご利用願います。これらの注意事項をお読みいただかずに、お問い合わせいただいても、技術評論社および著者は対処しかねます。あらかじめ、ご承知おきください。

食品ロスって なんだろう？

01 食品ロスはどうして問題になっているの？

まだ食べられる食べ物がたくさん捨てられている

食品ロスの問題点

- 餓死
- 紛争
- 世界の食糧不足
- 貧困
- 世界の水の損失
- 世界の土地の損失
- 世界のエネルギーの損失
- 自然破壊
- 地球温暖化

資源の無駄

環境負荷

食品ロス

食べ物だけの問題じゃないんだね

ロス (Loss) は、英語で「失う」という意味だよ

経済損失

本来は必要のないごみを処理しなければならない

商品の返品、本来は必要のない廃棄物を処理しなければならないことなど

- 企業の経営損失
- 家庭の生活費の損失
- 市町村の税金の損失

出典：一般社団法人 産業環境管理協会 資源・リサイクル促進センター「食品の廃棄と食品ロス」をもとに作成

　食品ロスという言葉を聞いたことはありますか？食品ロスとは、まだ食べられるのに捨てられてしまう食品のことをいいます。みなさんの生活の中でも、思い当たることがあるかもしれません。今、この食品ロスが大きな問題となっています。それはなぜでしょうか？

　まだ食べられるものを捨てることは、もったいないのはもちろんですが、それだけではありません。私たちは、好きなものを好きなだけ、いつでも食べることができます。そのためのしくみが暮らしを支えているからです。このしくみには、食品をつくる人や運ぶ人など、さまざまな人たちが関わっているほか、食品をつくるための土地や水、環境ともつながっています。

　まだ食べられる食品を捨てることは、たくさんの資源を使い、多くの人の手でつくられた食品をむだにしてしまうばかりか、さまざまな悪い循環を生み出してしまうのです。

食べられるのに捨てられる食品

食品ロスは、世界で毎年およそ13億トン※、日本でもおよそ523万トン（2021年度）生まれています。

この量は、少なく見積もられているともいわれています。たとえば、世界自然保護基金（WWF）とイギリスのテスコ社は、世界で毎年およそ25億トンの食品ロスが生まれていると報告しています（WWF報告書 "Driven to Waste"）。

13億トン

523万トン

まだ食べられるのに、こんなにたくさん捨てられてしまうのは、もったいないね

農場で出る収穫時の食品ロスが特に見過ごされやすい。日本の食品ロス量には、つくり過ぎや規格外のために捨てられる、出荷前の食品ロス量は含まれていない

※国際連合食糧農業機関（FAO）による2011年の報告

さらにその先 食品ロスが生まれる場面

そして、この食品ロスは、私たちが毎日、好きなものを好きなだけ食べられるしくみのさまざまな場面で生まれています。

売るとき

選ぶとき

調理するとき

食品ロスは、さまざまな場面で生まれているよ

食べるとき

02 身のまわりからも食品ロスが生まれているの？

選ぶとき・食べるときにも食品ロスが生まれている

調理をして食べるとき

葉・茎

皮・外葉

魚・肉のアラや皮

食べ残し

直接廃棄とともに、もっとも多い家庭での食品ロスの原因になる

調理のとき、野菜の皮やへた、肉の脂身などを、取り過ぎてしまう過剰除去も食品ロスになる

生ゴミの水分にも要注意

食品ロスとなり、捨てられた野菜くずや調理食品は、捨てられたあとに、別の問題も生み出します。こうした廃棄物は、水分を多く含むため、そのままゴミとして捨てられると、焼却するときに燃えにくく、エネルギーをたくさん使います。捨てたあとも、環境へ負担をかける原因にもなってしまうのです。

　身近なところで、食材を調理するときのことを、思い浮かべてみましょう。野菜は皮をむき、茎や葉、へたを取りのぞきます。魚や肉は、骨や皮、脂身などを取りのぞいて調理します。このとき、むき過ぎや取りのぞき過ぎによって、食べられる部分も捨てられてしまうことがあります。また、取りのぞかれる部分の中には、工夫すれば、おいしく食べられるものも含まれています。捨てるのが当たり前と思われるものでも、実は食べられる部分を捨てる、食品ロスにあたることがあります。

　さらに、せっかく調理された食品も、食べ残しやつくり過ぎがあると、捨てられてしまいます。手元にやってきた貴重な食べ物ですが、みなさんが口にすることなく、捨てられてしまうものも、多くあるのです。

選んで買うとき

つくり過ぎや食べ残しの原因は、食品を選ぶときからはじまっているかもしれません。普段より安く売られているものや、おいしそうな見た目のものを、つい買い過ぎてしまうことも。せっかく購入しても、食べきれなければ、食品ロスにつながることがあります。

期限切れ

安い、おいしそうと思うと、つい買い過ぎてしまうよね

買い過ぎると、いつの間にか期限切れになってしまうことがあるよね

食べきれない量を買い過ぎると、期限切れなどで、食卓に並ぶことなく捨てられてしまう直接廃棄の原因になる

消費期限と賞味期限のちがいは？

食品を選ぶとき、消費期限と賞味期限を確認する人も多いでしょう。

期限が短いものよりも長いものの方が、より新鮮でおいしいと思う人もいるかもしれません。期限までの時間が長いほど、保存できる期間も長くなりますが、すぐに食べてしまうものであれば、期限にこだわらなくてもよいはずです。

消費期限と賞味期限の意味について、見直してみましょう。

消費期限	安全に食べられる期限のこと。いたみやすい食品（弁当・調理パン・そうざい・生菓子類・食肉・生めん類など）に表示されている。 この期限を過ぎた場合は食べないほうがよい
賞味期限	おいしく食べられる期限のこと。いたみにくい食品（スナック菓子・即席めん・缶詰など）に表示され、期限を過ぎてもすぐに食べられなくなるわけではない。製造から3カ月以上おいしく食べられる食品には、年月が表示され、日にちまでは決められていないこともある

消費期限と賞味期限のイメージ

日持ちする食品 / おいしく食べることができる期限
品質 / いたみやすい食品 / まだ食べられる
過ぎたら食べない方がよい期限
消費期限 / 賞味期限 / 製造日からの日数

いずれも、開封せず、保存方法を守っているときの期限

出典：消費者庁「知っておきたい食品の表示（令和5年3月版）」をもとに作成

スーパーやコンビニなどの小売店では、期限までの日数が短いものを手前に並べたり、値下げをするなどして、先に買ってもらえるように工夫しています。もちろん、まだおいしく食べられるものばかりです。それでも期限切れの売れ残りが発生すると、残念ながら食品ロスとなってしまいます。

03 スーパーやコンビニでも食品ロスが生まれているの？

期限切れやイベントの売れ残りなどが原因になる

食品を売るとき

割引販売をするところが増えたよね

ルールによって、賞味期限まで何日も残っているのに、売ることができなくなる食品もあるんだよ

消費期限や賞味期限が切れた商品は、販売できないんだね

　スーパーやコンビニなどの小売店で、食品が売られる場面からも見ていきましょう。

　消費期限や賞味期限（02節参照）が切れた食品は、販売することができません。期限内に売れ残った食品の多くは、捨てられ、食品ロスとなります。

　また、食品メーカーなどと小売店の間では、食品の取り扱いに、3分の1ルールと呼ばれる決まりが使われることがあり、食品ロスを生み出しやすくなっています。食品をよい状態で届けるために取り入れられたしくみですが、見直しが必要とされています。

　期限が間近に迫った食品の一部は、事前に値引きするなど、買ってもらえるように工夫をして、販売することも増えています。

捨てられてしまう原因はほかにも

パッケージのキズ・汚れ

みなさんは食品の「見た目」を気にしたことがありますか？

食品が汚れているような、パッケージの破れは見逃せませんが、外箱や梱包の破れやへこみなど、食品には問題のないものでも、見た目が悪いというだけで、まるごと廃棄の対象となってしまうことがあります。

季節商品の売れ残り

お節料理や節分の恵方巻、クリスマスケーキなど、季節のイベント用につくられた食品は、その日が過ぎると店頭に並べておくことができません。

たくさん並んでいる様子を見ると、わくわくすることもありますが、買う人がいなければ、捨てられることになり、大量の食品ロスを生む原因となっています。

箱や袋のへこみや汚れも、廃棄の対象になることがあるんだよ

中身は食べられるのにもったいないよね

イベントが近づくと、たくさん並んでいるよね

売れ残ると捨てられてしまうんだね

お節

土用のうなぎ

クリスマスケーキ

バレンタインチョコレート

恵方巻

3分の1ルールってなんだろう？

食品メーカーと小売店、またその間をつなぐ卸売業者などの間で、使われることのあるルールです。

製造日から賞味期限までの期間を3等分し、食品メーカーなどは、はじめの期間❶までに、スーパーやコンビニなどの小売店へ、商品を届けなくてはなりません。次の期間❷は店頭で販売できる期間ですが、最後の期間❸に入ると、販売ができなくなるというものです。

売れ残った食品は、小売店から食品メーカーなどに返されたり、捨てられてしまいます。

賞味期限まで時間を残し、まだまだおいしく食べられる食品が、無駄になってしまうことがあります。

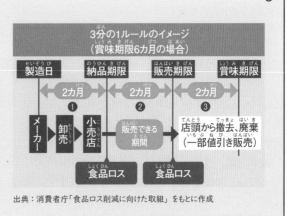

3分の1ルールのイメージ（賞味期限6カ月の場合）

製造日	納品期限	販売期限	賞味期限
2カ月 ❶	2カ月 ❷	2カ月 ❸	

メーカー → 卸売 → 小売店 → 販売できる期間 → 店頭から撤去、廃棄（一部値引き販売）

食品ロス　食品ロス

出典：消費者庁「食品ロス削減に向けた取組」をもとに作成

04 食品をつくるときにも食品ロスが生まれているの？

食品メーカーの工場や農場でも捨てられる食品がある

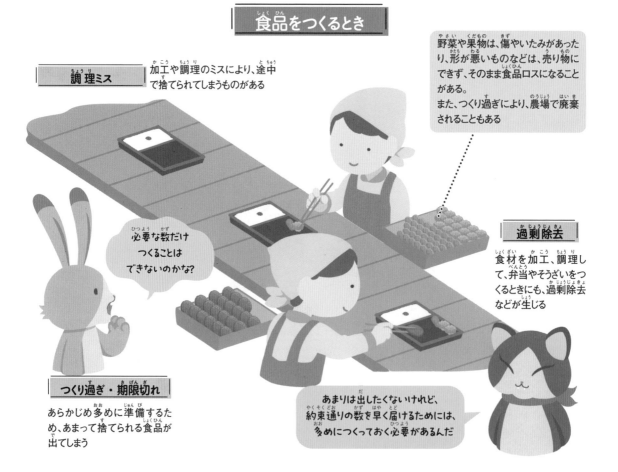

食品をつくるとき

調理ミス 加工や調理のミスにより、途中で捨てられてしまうものがある

野菜や果物は、傷やいたみがあったり、形が悪いものなどは、売り物にできず、そのまま食品ロスになることがある。
また、つくり過ぎにより、農場で廃棄されることもある

過剰除去 食材を加工、調理して、弁当やそうざいをつくるときにも、過剰除去などが生じる

必要な数だけつくることはできないのかな？

つくり過ぎ・期限切れ あらかじめ多めに準備するため、あまって捨てられる食品が出てしまう

あまりは出したくないけれど、約束通りの数を早く届けるためには、多めにつくっておく必要があるんだ

スーパーやコンビニなどの小売店では、来客のほしいものを、ほしいときに届けるために、十分な数のさまざまな食品を、用意しておかなければなりません。

食品を製造する工場では、小売店からの注文にそなえて、商品をあらかじめ多めにつくります。注文が入ってから、食材を集めて、調理や加工をしたのでは、すぐに対応できないからです。さらに、約束の時間までに、注文された数の商品を小売店に届けなければ、罰金を払う決まりもあります。あらかじめ多くつくり、あまったものを廃棄する方が、効率がよいのです。

買う人の期待にこたえ、売り手やつくり手も損をしないようにするしくみが、食品ロスを生むことがあります。

05 レストランやファストフード店でも食品ロスが生まれているの？

食べ残しやつくり過ぎた食品が捨てられてしまう

外食するとき

食べ残し・注文ミス

食べきれないことも多いんだよね

外食産業ってなんだろう？

レストランやファストフード店、居酒屋などの飲食店や、パーティーや宴会などで食品を提供する店などのことを、まとめて外食産業と呼びます。

たくさん用意しても、使わなければ捨てられてしまうんだね

つくり過ぎ・期限切れ

調理くず・調理ミス

レストランやファストフード店などの外食産業でも、食べ残しや、注文の間違いでつくられた料理を捨てるなど、多くの食品ロスが生まれています。

また、食材は、いつ、どれだけの来客が、何を注文するのかを予測して準備されます。足りなくなることがないように、多めに用意されることが多く、来客が少なかったときや、注文されなかったときに
は、期限が切れて、廃棄しなくてはならない場合があります。

さらに、たくさんのメニューの中から、来客が希望するものを、すばやく、見た目のよい状態で提供しなくてはなりません。そのため、調理中のミスや過剰除去も、起こりやすくなってしまいます。

06 食品ロスはどこで どれくらい生まれているの？

2030年までに食品ロスを半分に減らそうとしている

食品ロスの量（2021年度）

事業系
279万トン

家庭系
244万トン

523万トン

1人あたり
1日およそ114gの食品ロスを出していることになるよ

重さの「トン」ってどれくらい？

食品ロスの量について話すとき、トン（t）という重さの単位がよく使われます。私たちの体重は、キログラム（kg）という単位で表しますが、トンはその1000倍にあたり、1トンは、1000キログラムを表します。日本と世界の食品ロス、523万トンや13億トンという量を、想像することはできますか？

食卓へ届けられるまでの間から食事のあとまで、さまざまな場面で、まだ食べられる食品が捨てられてしまう食品ロスが生まれています。どこで、どれくらいの食品ロスが出ているのでしょうか。量に注目して、あらためて見てみましょう。

日本では、2021年度に、およそ523万トンの食品ロスが発生しました。これは1人当たりで、毎日おにぎり1個分のご飯を捨てている量だといわれています。このうち、およそ279万トンは、食品をつくったり売ったりする段階や、レストランなどの外食産業から出た事業系食品ロスです。残りのおよそ244万トンは、家庭から出た家庭系食品ロスとなっています。このように、食品ロスのおよそ半分は、私たちの身近な食卓から生まれているのです。

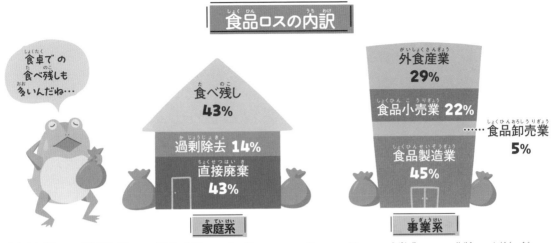

食品ロスの内訳

食卓での食べ残しも多いんだね…

食べ残し 43%
過剰除去 14%
直接廃棄 43%
家庭系

外食産業 29%
食品小売業 22%
…食品卸売業 5%
食品製造業 45%
事業系

家庭系食品ロスと事業系食品ロスの内訳。家庭では、食べ残しと、せっかく買ったにも関わらず、期限切れなどの理由から、食卓に並ぶことなく捨てられてしまう直接廃棄がもっとも多い

食品ロス量の推移

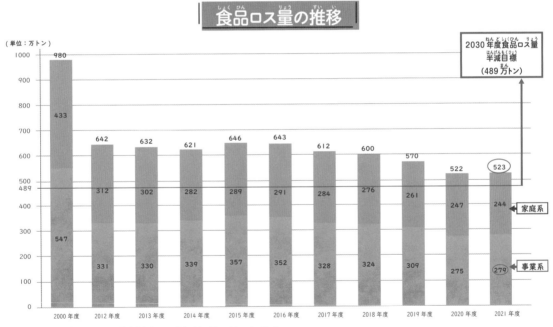

（単位：万トン）

2030年度食品ロス量半減目標（489万トン）

	2000年度	2012年度	2013年度	2014年度	2015年度	2016年度	2017年度	2018年度	2019年度	2020年度	2021年度
合計	980	642	632	621	646	643	612	600	570	522	523
家庭系	433	312	302	282	289	291	284	276	261	247	244
事業系	547	331	330	339	357	352	328	324	309	275	279

出典：農林水産省「食品ロス量の推移（平成24～令和3年度）」を加工して作成

　食品ロスの量が、どのように変化してきたのかも見てみましょう。日本では、2000年度に、合計でおよそ980万トンもの食品ロスが発生しました。これを、2030年までの30年間で、半分となるおよそ489万トンにまで、減らすことが目標とされています。

　食品ロスの量は、少しずつ減りはじめていることが、グラフからもわかりますが、期限まであまり時間が残されていません。目標に向けて、できることを見つけて実行しながら、注目して見ていきましょう。

食品ロス＝フードロス?!

食品ロスとフードロスはどうちがうの？

― 食品ロス ―

本来は食べられるのに、捨てられてしまう食品のこと

（フードロスとフードウェイストのうちの、食べられる部分の廃棄が含まれる）

フードロス (Food Loss)

収穫後から、小売店や飲食店などへたどり着くまでに出る食品の廃棄（量や質の低下）

| 収穫 | 輸送 | 保管 | 加工 | 梱包 | 流通 |

フードウェイスト （Food Waste）

小売店や飲食店などと、家庭から出される食品の廃棄（量や質の低下）

| 小売店 | 外食産業など | 家庭 |

出典：国際連合食糧農業機関（FAO）
" The State of Food and Agriculture 2019" をもとに作成

最近では、農場から収穫のときに出る食品ロスが多いことも、注目されているよ（→ 15ページ）

※作図においては、井出留美「「食品ロス」と「フードロス」は違う? その理由をSDGsとFAOの定義から読みとく」を参考にしました

食品ロスと同時に、フードロス（Food Loss）という言葉がよく聞かれます。ふたつの言葉とフードウェイスト（Food Waste）の関係を、国際連合食糧農業機関（FAO）※の報告書による分類をもとにまとめました。フードロスは、海外では、食品ロスの一部しか表さない言葉といえそうです。

※国際連合食糧農業機関(FAO)：すべての人々が、栄養のある安全な食べ物を手に入れ、健康的な生活を送ることができる世界をめざして、1945年に設立された国際機関。日本も、1951年に加盟している。

食品は捨てるほどたくさんあるの？

しょくひん　す

01 世界には十分な食べ物があるの？

食料が行き渡る国や地域には偏りがある

世界の10人に1人が十分な食料を得ることができず、飢えに苦しんでいる

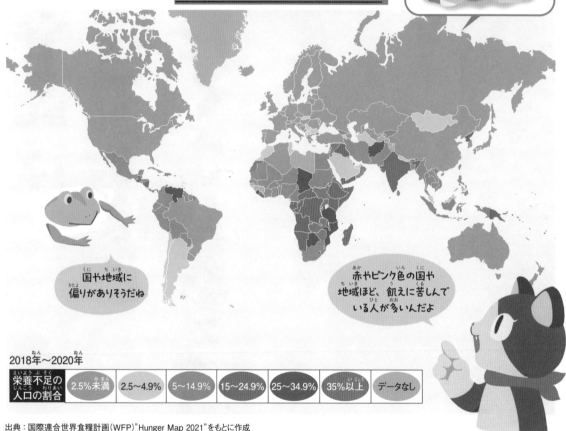

世界のハンガーマップ

国や地域に偏りがありそうだね

赤やピンク色の国や地域ほど、飢えに苦しんでいる人が多いんだよ

2018年〜2020年

栄養不足の人口の割合	2.5%未満	2.5〜4.9%	5〜14.9%	15〜24.9%	25〜34.9%	35%以上	データなし

出典：国際連合世界食糧計画（WFP）"Hunger Map 2021"をもとに作成

　私たちの身近な暮らしの中で、多くの食品がまだ食べられるにも関わらず、捨てられてしまうことを序章で見てきました。そもそも食品は、捨てるほどたくさんあるといえるのでしょうか？

　みなさんは、ハンガーマップを知っていますか？

　ハンガーマップは、世界でどれほどの人々が飢えに苦しんでいるのかが、ひと目でわかる世界地図で、国際連合世界食糧計画（WFP）という国際機関がつくっています※。

　ハンガーマップを見ると、アフリカや南アジアなどに偏って、飢えに苦しむ人が多いことがわかります。こうした国々では、特に女性や子どもの飢えが深刻です。子どもたちの中には、常に栄養不足がつづくことで、年齢に合った身長まで成長できない発育阻害や、命の危険がせまった消耗状態にある子どもたちもいます。

※2023年7月現在は、ほぼリアルタイムで、世界90カ国以上の食料不安の状況が見られる、ハンガーマップ・ライブが公開されている

子どもたちに生じるちがい

発育阻害
栄養不足がつづき、低身長のほか、脳の発達にも影響をおよぼす状態

消耗症
ひどく痩せ、体を守る免疫の力も弱まり、緊急の治療が必要な場合もある状態

過体重
摂取したエネルギーよりも消費エネルギーが少なく、肥満の一歩手前の状態

これからもどんどん、世界の人口は増えていくんだね

世界の人口の移り変わりと予測

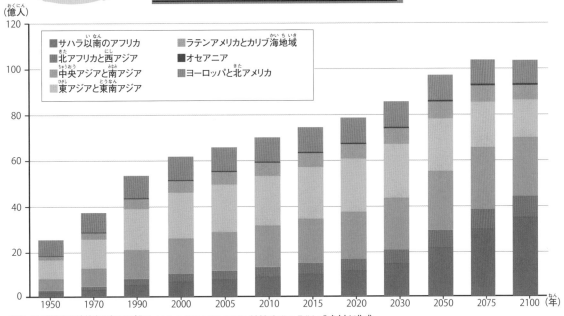

（億人）

- サハラ以南のアフリカ
- 北アフリカと西アジア
- 中央アジアと南アジア
- 東アジアと東南アジア
- ラテンアメリカとカリブ海地域
- オセアニア
- ヨーロッパと北アメリカ

1950 1970 1990 2000 2005 2010 2015 2020 2030 2050 2075 2100 （年）

出典：国際連合経済社会局(DESA)"World Population Prospects 2022 Online Edition" をもとに作成

　日本に暮らす私たちには、想像ができないことかもしれませんが、多くの子どもたちが、十分な食事をとることができずに暮らしている国や地域もあるのです。逆に、世界の一部の子どもたちには、過体重や肥満が増えています。

　現在、世界の人口は増えつづけています。すでに深刻な食料不足に苦しむアフリカの人口が、今後も特に増加していくと考えられています。

　世界には、十分な食料がなく飢える人々がいる一方で、たくさんの食料を捨てている国や地域があります。世界人口の増加を見すえて、こうした食料の偏りをなくし、十分な食べ物が必要な場所に行き渡るしくみが必要です。

02 世界の食料自給率は どれくらいなの？

国や地域で大きく差がある

世界の食料自給率

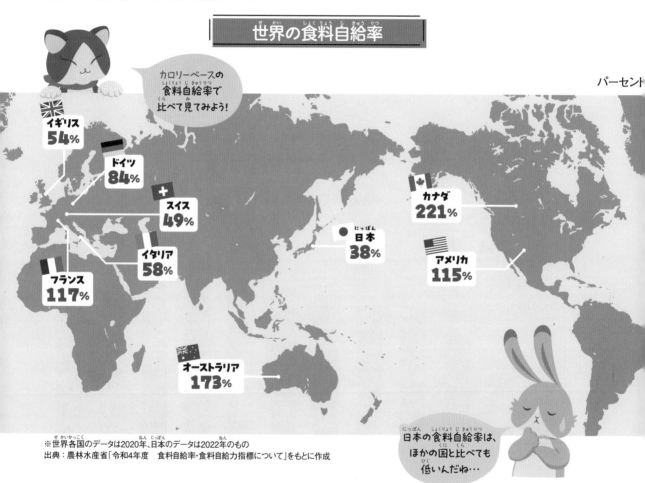

カロリーベースの食料自給率で比べて見てみよう！

パーセント

イギリス 54%

ドイツ 84%

スイス 49%

イタリア 58%

フランス 117%

カナダ 221%

日本 38%

アメリカ 115%

オーストラリア 173%

日本の食料自給率は、ほかの国と比べても低いんだね…

※世界各国のデータは2020年、日本のデータは2022年のもの
出典：農林水産省「令和4年度　食料自給率・食料自給力指標について」をもとに作成

食品が捨てられている場所では、それだけ十分な食料をつくることができているのでしょうか？　実は、そうともいえないようです。

食料自給率は、その国で食べられている食料のうち、どのくらいが国内でつくられているのかの割合を表した数字です。100%に近いほど、必要な食料を自分たちでつくることができているといえます。

それぞれの国の数字はどうなっているでしょうか。

カナダやオーストラリア、アメリカなどのように、自給率が100%を超えている国もありますが、100%を下回る国では、国内で十分な食料がつくられていません。先進国の中でも、特に日本は、自給率が低いことがわかります。

世界の品目別自給率

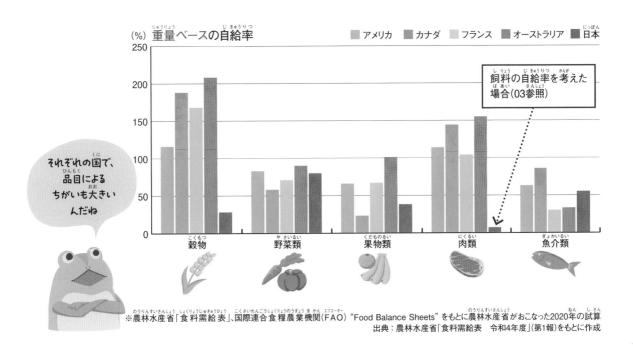

それぞれの国で、品目によるちがいも大きいんだね

※農林水産省「食料需給表」、国際連合食糧農業機関（FAO）"Food Balance Sheets"をもとに農林水産省がおこなった2020年の試算
出典：農林水産省「食料需給表　令和4年度」（第1報）をもとに作成

食料自給率には3つのタイプがある？

　人が生きていくためには、食事からエネルギーを得る必要があります。左ページの食料自給率は、カロリーベースの食料自給率といって、食品から得られるエネルギー量（カロリー）をもとに計算したものです。すべての国民が、必要とするエネルギーを、国内でつくった食料で、どれほどまかなえているかを表しています。ほかにも生産額や、重量で計算する自給率があります。

　カロリーベースの食料自給率が高い国でも、さまざまな品目の食品が、バランスよくつくられているとは限りません。

カロリーベース	さまざまな品目の食料を、エネルギー量（カロリー）という共通の「ものさし」で計算する自給率。食料全体を一括りにして、総合的な食料自給率を表すときに使われる
重量ベース	食料の重さから計算した自給率。品目ごとの食料自給率を表すときに使われる
生産額ベース	食料の価格から計算した自給率。金額が共通の「ものさし」になる

　健康で豊かな生活を送るために、私たちは、バラエティーに富んださまざまな食品を食べています。それぞれの国で、たくさんつくることができる食品は外国に輸出し、足りないものは輸入してまかなっています。好きなものを選んで、食べることができるのは、そのような国や地域どうしのやり取りが、とど

こおりなくおこなわれているからです。
　また、開発途上国などでは、国内生産が十分にできていないにも関わらず、先進国へ輸出するための食品が大量につくられている場合もあります。つくり手が貧しい生活を送りながら、先進国の食卓をうるおす、そんな不公平も生まれています。

03 日本の食料自給率は どれくらいなの？

たくさんの食品を外国からの輸入に頼っている

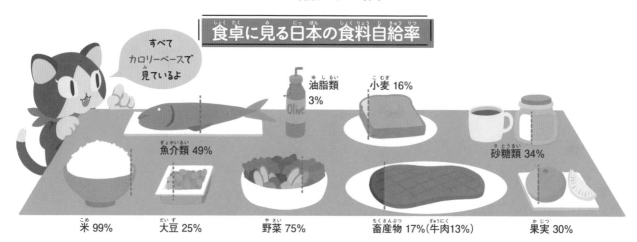

食卓に見る日本の食料自給率

すべてカロリーベースで見ているよ

油脂類 3%
小麦 16%
魚介類 49%
砂糖類 34%
米 99%
大豆 25%
野菜 75%
畜産物 17%（牛肉13%）
果実 30%

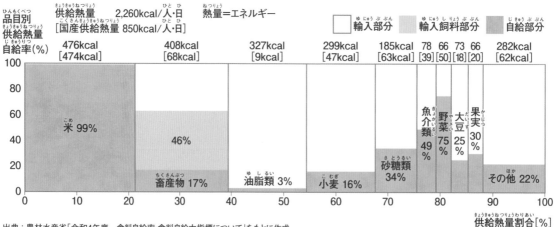

品目別供給熱量 供給熱量 2,260kcal／人・日
［国産供給熱量 850kcal／人・日］ 熱量＝エネルギー
自給率(%)

□ 輸入部分　▨ 輸入飼料部分　▩ 自給部分

476kcal [474kcal]	408kcal [68kcal]	327kcal [9kcal]	299kcal [47kcal]	185kcal [63kcal]	78 [39]	66 [50]	73 [18]	66 [20]	282kcal [62kcal]

米 99%
畜産物 17%
46%
油脂類 3%
小麦 16%
砂糖類 34%
魚介類 49%
野菜 75%
大豆 25%
果実 30%
その他 22%

供給熱量割合[%]

出典：農林水産省「令和4年度　食料自給率・食料自給力指標について」をもとに作成

02で見てきたように、日本の2022年度の食料自給率は、カロリーベースで38%と低いものでした。品目ごとでも見てみましょう。

主食である米、つづいて野菜の自給率は高めですが、油脂類や小麦などは、多くを輸入に頼っていることがわかります。

日本では、主食の米をつくる稲作が盛んにおこなわれてきました。米は、おもなエネルギー源として重要な食品で、ほぼ100%の自給率を維持する国内で唯一の品目です。しかし近年では、食の欧米化が進むことで、米の消費と生産が少しずつ減り、代わりに、肉や乳製品などの畜産物や、油脂類の消費が高まっています。これらは、多くを外国からの輸入に頼っている食品です。こうした背景により、日本の食料自給率は、ここ50年ほどで半分近くまで減っています。

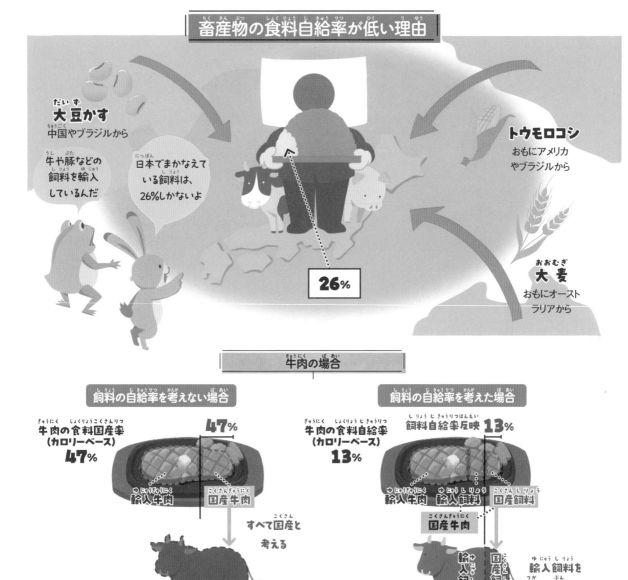

畜産物の食料自給率が低い理由

大豆かす 中国やブラジルから

牛や豚などの飼料を輸入しているんだ

日本でまかなえている飼料は、26%しかないよ

トウモロコシ おもにアメリカやブラジルから

大麦 おもにオーストラリアから

26%

牛肉の場合

飼料の自給率を考えない場合

牛肉の食料国産率（カロリーベース）**47%**

47%

輸入牛肉　国産牛肉

すべて国産と考える

飼料の自給率を考えた場合

牛肉の食料自給率（カロリーベース）**13%**

飼料自給率反映 **13%**

輸入牛肉　輸入飼料　国産飼料

国産牛肉

輸入飼料を使った分だけ差し引く

出典：農林水産省「令和4年度 食料自給率・食料自給力指標について」をもとに作成

スーパーなどでは、国産の肉や乳製品を多く見かけますが、畜産物の自給率が17%と低いのはなぜでしょうか？

牛や豚などの家畜は動物ですから、肉になったり乳を出すまで、エサを与えて育てる必要があります。そのエサ（飼料）となる穀物などは、多くを輸入に頼っています。飼料がなくては家畜を育てることができず、食肉や乳製品などをつくることもできません。国産の飼料を使い、国内の力だけでつくることができる割合（自給率）は、低くなるのです。

もしも、飼料をすべて国内でつくることができれば、畜産物の自給率は、ぐんと高まります。

04 食品で世界はつながっているって本当なの？

私たちの豊かな食卓は世界中の食品でできている

弁当

梅干し (中国)
材料となる梅は、国内でも栽培されているけれど、価格の安い中国産の梅が使われることも多くなっている

サケ (チリ)
サケ・マス類の魚の多くは、チリやノルウェーから輸入されている

オレンジ (オーストラリア・アメリカ)
多くを、オーストラリアやアメリカから輸入している

ご飯 (日本)
米は、自給率の高い品目のひとつ。多くの場合、国産の米が使われている。日本で不作の年には、タイやアメリカなどから大量に輸入することもある

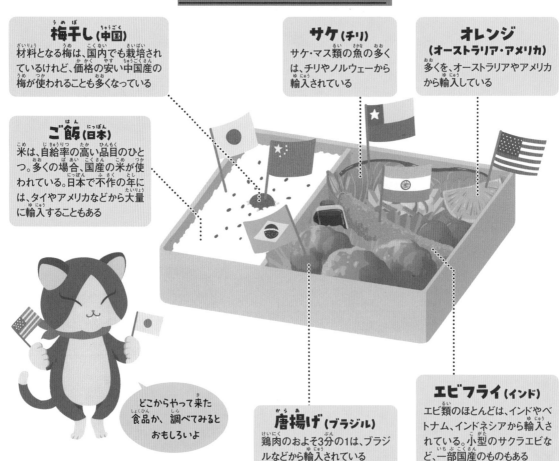

どこからやって来た食品か、調べてみるとおもしろいよ

唐揚げ (ブラジル)
鶏肉のおよそ3分の1は、ブラジルなどから輸入されている

エビフライ (インド)
エビ類のほとんどは、インドやベトナム、インドネシアから輸入されている。小型のサクラエビなど、一部国産のものもある

多くの食品を、外国から輸入している私たち。毎日の食事の中身をのぞいてみると、さまざまな国や地域とのつながりが見えてきます。

食品をとおして、さまざまな国と地域が仲よく協力することは大切ですが、頼りにし過ぎてしまうことにも問題がありそうです。

日本でも、さまざまな農作物や畜産物をつくっていますが、それでも私たちの要求に応えられるだけの食品を、日本国内だけでまかなうことができていません。その背景については、2章や3章でも、くわしく紹介していきます。

麺類

ナルト (ロシア)
さまざまな魚が材料として使われている。そのうちのひとつ、スケトウダラは、アメリカやロシアからも輸入されている。冷凍したすり身を輸入することもある

麺 (アメリカ)
小麦を粉砕した小麦粉がおもな材料。小麦は、ほとんどをアメリカやカナダ、オーストラリアからの輸入に頼っている

チャーシュー (カナダ)
豚肉のおよそ半分は、アメリカやカナダなどから輸入されている

メンマ (中国)
材料となるタケノコは、中国から輸入されたものも多い

そば (中国)
日本食のそばも、材料となるそば (実) の多くを、中国からの輸入に頼っている

世界中から輸入した食品でできているんだね

食べることで知らないうちに、世界とつながっていたんだね

小麦粉の「国内製造」ってなんだろう？

小麦のほとんどは、外国からの輸入でまかなわれていますが、菓子や麺類の材料表示に、小麦粉（国内製造）と書かれているものを多く見かけます。これは、日本産（国産）とはちがい、日本国内で、原料となる小麦を粉々にくだいて粉状にする製粉をおこなったことを示しています。材料となる小麦は、国産のものも外国産のものも両方が含まれています。

菓子類・飲み物

クッキー・ケーキ (アメリカ・カナダ・オーストラリア)
こちらも小麦粉 (小麦) がおもな材料。ほとんどを輸入に頼ってつくられている

コーヒー (ブラジル)
コーヒー豆は、国内ではほとんどつくられていないため、ブラジルやベトナム、コロンビアをはじめとする、50近い国から輸入している

紅茶 (スリランカ)
ほとんどが国産の緑茶に比べ、国内でつくられる紅茶はごくわずか。ほとんどは、インドやスリランカをはじめとする、さまざまな国から輸入されている

せんべい (日本)
材料となる米は、国産のものが多く使われているけれど、中には、中国産やアメリカ産の米と混ぜてつくられているものもある

チョコレート (ガーナ)
材料となるカカオのほとんどは、ガーナやコートジボワール、エクアドルなどの熱帯の国や地域から輸入されている

食料不足は突然起きる！？

世界の災害や戦争は、とても身近な問題

目に見えない世界とのつながりを、想像できるようにしたいね

　私たちの豊かな暮らしと食卓は、さまざまな国や地域とのつながりに支えられています。このつながりを保ちつづけなければ、十分なエネルギーや栄養を得ることができず、健康な生活を送ることができなくなる可能性があります。

　2023年10月現在、ウクライナで戦争が起こっています。ウクライナは、人口約4,000万人、日本の約1.6倍の国土を持つ国です。青と黄色の国旗は、晴れ渡る空と黄金色の小麦畑を表しています。この国旗が示すように、広大な農地で、世界中に届けられる大量の小麦がつくられています。その様子は、「欧州のパンかご」と呼ばれるほどです。ですが、戦争下にある現在、その生産と流通を保つことはままなりません。小麦の供給が不足することで、世界で小麦を材料とする食品の値上がりが起こり、一部の地域ではデモが起こるなどの状況に発展しました。食品の多くを輸入に頼る日本に

おいても、これは他人事ではありません。

　さらに、必要な食品を輸入などによって十分手に入れることができた場合でも、それが私たちの手元にくまなく届くとは限りません。

　2011年に発生した東日本大震災では、地震と津波の影響で、広い範囲に渡り交通網の遮断が起こりました。その結果、生活に必要な食品や物資が、被災地に十分届けられないという事態が生じました。被災地に残された人々は、わずかに供給される食品を家族で分け合い、1日1日の命をつなぐという出来事が、現代でも実際に経験されています。

　私たちは、見えないネットワークで世界の国や地域、さらに国内のあらゆる地域とつながりながら、今日の生活を維持しています。この「見えない」けれど重要なつながりに、目を向ける必要があります。

2章

食べ物はどうやって
食卓まで届くの？

01 フードチェーンって なんだろう?

つくる人から食卓へ鎖のようにつながるしくみ

私たちは現在、数も種類もたくさんある、さまざまな食品に囲まれて暮らしています。多くの人が、時間や場所に関わらず、何が食べたいかを選ぶことができます。100年前と比べてみても、食卓は大きく変化しています。なぜ、このような変化が起きたのでしょうか?

食生活は大きく
変化してきたよ

| 江戸時代の市場 | 現代の卸売市場 |

出典:東京都中央卸売市場「市場の歴史と年表—江戸時代の日本橋の魚河岸」

まずはじめに、食品を売ったり買ったりするしくみが拡大していったことがあげられます。

江戸時代にはすでに、食品を持ちよって、売り買いをする市場が存在していました。市場でははじめ、自分たちでとった魚や、育てた野菜などが売られていましたが、しだいにつくる人と買う人の間をつなぐしくみが発展し、売り買いが効率よくおこなわれるようになっていきました。

さらにここへ、加工や調理といったさまざまな段階が加わり、調理済みの食品なども手に入るようになりました。加工や調理は、食材が腐らないようにするための手段でもあります。

このように役割が増えることで、つくる人から買って食べる人までの間に、何人もの人々が関わるようになっていきました。

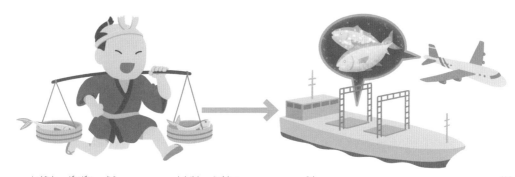

また、食品の売買を支えるのが、新鮮な状態を保つための保存技術です。冷蔵や冷凍の技術が発達してきたことも、大きな変化のひとつです。さらに、それらを遠くまで運ぶ輸送の技術も拡大してきたため、いまや世界中の食品を、家にいながら楽しめるようになりました。

このようにして、つくり手から食卓まで、食品が

たどる道のりを、フードチェーンといいます。鎖のように、さまざまな人や技術が結びつき、食品は私たちの食卓へやってきます。

食品ロスを考えるときには、フードチェーンのどこで、どのようなロスが起こっているのかを知ることが大切です。

フードチェーンのしくみ

フードチェーンは、生産、加工と流通、販売、そして消費の流れとつながりを表します。

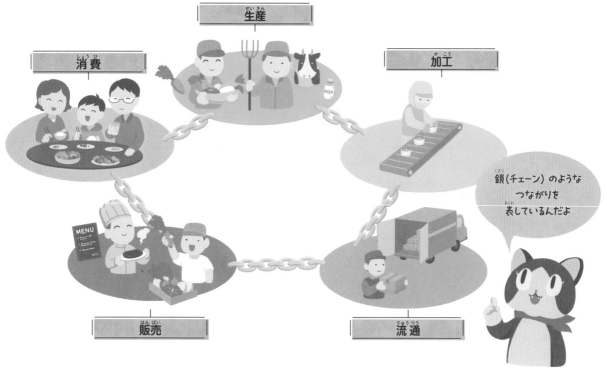

鎖(チェーン)のようなつながりを表しているんだよ

02 日本の食事はどのように変わってきたの？

食生活は健康にもつながっている

スーパーやコンビニ、お弁当屋さんなど、私たちの身のまわりには、いろいろな食品が一年を通して豊富に用意され、多くの人がそれを口にしています。このように、手軽に食品が手に入るのは、当たり前のことなのでしょうか？

ほんの100年ほど前までは、一汁一菜という言葉で表されるように、ご飯とみそ汁、漬物におかずが一品という、かんたんなメニューが、庶民の食事の基本でした。おかずといっても、豪華なメインディッシュというわけにはいかず、身近にとれる季節の野菜や魚など、手に入れることができるものの中で、工夫してつくられました。

昔 一汁一菜

江戸時代は、ご飯とみそ汁、漬物におかずが一品ということが多かったんだって

ご飯も白米だけではなく、麦やアワ、ヒエなども食べられていたんだ

肉食がゆるされたのは明治時代に入ってからのことで、それほど遠い昔ではないんだ

肉にいたっては、仏教の教えから、およそ1200年という長い期間、食べることが禁止されてきたという歴史があります。

牛や馬が、農耕作業や移動手段に利用する動物であったことも、食べ物としてあつかわれない一因でした。いろいろな食品を、多くの人が自由に選んで食べられるようになったのは、実はつい最近のことなのです。

現在　弁当

炭水化物

米

体のエネルギー源で、糖質と食物繊維をあわせた栄養素（糖質のひとつのブドウ糖は、脳の重要なエネルギー源になる）

たんぱく質

からあげ（鶏肉）・サケ（魚）　たまご焼き

体の筋肉、内臓、血液や骨などをつくる栄養素

ビタミン

トマト・オレンジ

体の調子を整え、生きていくための体の活動を支える栄養素

脂質

からあげ（油）

効率のよいエネルギー源。体の細胞や神経、ホルモンの材料にもなる栄養素

ミネラル

チーズ

体の調子を整え、血液や骨をつくる。筋肉や神経の働きを調節するためにも大切な栄養素

さまざまな食品が食べられるようになったことは、平均寿命の上昇にも関わりがあると考えられています。食品には、さまざまな栄養素が含まれています。バラエティ豊かな食品を、偏りなく食べることで、たんぱく質・脂質・炭水化物の3大栄養素と、ビタミンやミネラルをバランスよくとることができます。豊かな食卓は、強い体をつくり、健康を保つ土台となります。

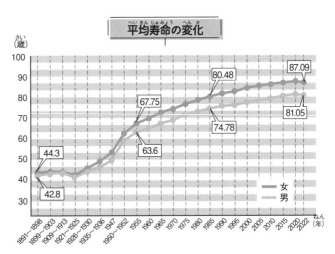

平均寿命の変化

（歳）

女

男

44.3　42.8　67.75　63.6　80.48　74.78　87.09　81.05

1891～1898　1899～1903　1909～1913　1921～1925　1926～1930　1935～1936　1947　1950～1952　1955　1960　1965　1970　1975　1980　1985　1990　1995　2000　2005　2010　2015　2020　2022（年）

出典：厚生労働省「第20回　生命表（完全生命表）」／「令和4年簡易生命表の概況」をもとに作成

米や野菜はどうやって食卓まで届いているの？

種からつづく長い道のりがある

米などの農作物は、どのようにつくられ、食卓までやってくるのでしょうか。

米や野菜は、大小さまざまな田畑の収穫物です。この実りをもたらす作物づくりは、小さな種と、土づくりからはじまります。

農業では多くの場合、毎年あたらしい種や苗を買いつけ、土を耕し、畝をつくった畑に植えて育てます。種を販売する農家や、苗を育てて販売する農家、そして、収穫まで栽培をおこなう生産農家があります。

※右の図は、伝統野菜の流れです。

農作物づくりの役割分担

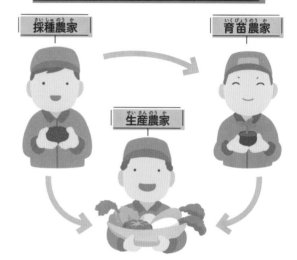

採種農家　育苗農家　生産農家

米の収穫から出荷まで

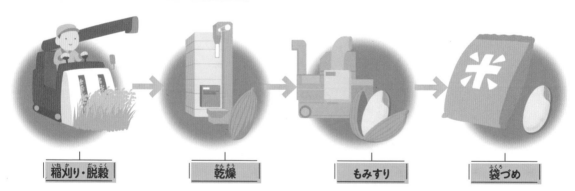

稲刈り・脱穀　乾燥　もみすり　袋づめ

土壌がやわらかく、雨が多い日本の環境は、農業にとって好条件です。そのため、古くから一次産業として農業がさかえてきました。農家の人たちは、米や野菜がのびのびと育つ環境を考えながら、栽培をおこないます。雨で土から流れ出した作物の成長に欠かせない窒素やリン、カルシウムなどを肥料でおぎなったり、適切な水やりをし、ときには農薬を使った害虫対策などで成長をサポートします。作物の生育と環境を見極めながら、収穫まで栽培をつづけていくのです。

収穫がおわると、いよいよ出荷の準備です。米の場合は、もみを乾燥させたあと、もみすりという、もみ殻をとりのぞく作業をして袋づめにします。

野菜の収穫から出荷まで

　野菜の場合は、形や大きさをそろえて出荷するため、選別し、袋や箱につめます。このような収穫後の仕事を、調整といいます。

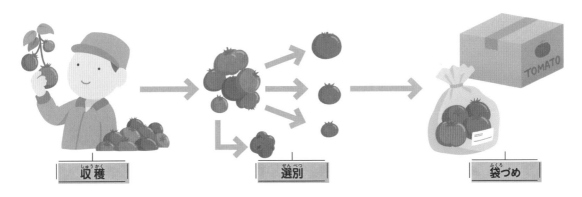

収穫　　　　選別　　　　袋づめ

農作物のフードチェーン

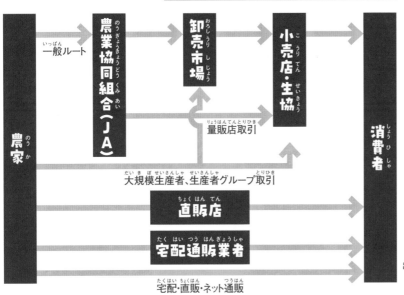

一般ルート

農業協同組合（JA）

卸売市場

小売店・生協

量販店取引

大規模生産者、生産者グループ取引

直販店

宅配通販業者

宅配・直販・ネット通販

農家

消費者

　こうしてつくられた米や野菜は、卸売市場に集められ、八百屋やスーパーマーケットなどに届けられます。最近では、産地の直売店や通信販売などで、消費者へ直接届けられるしくみにも人気が出ています。

出典：有坪民雄「イラスト図解 農業のしくみ」
日本実業出版社（2003年）をもとに作成

規格外の農作物

　調整の結果、形や大きさが規格外の農作物は、廃棄されたり安く取り引きされます。ですが中には、形や大きさが不揃いのもののほうが、おいしい農作物もあるといわれています。最近では、規格外と書かれたパッケージを目にすることも増えました。形や大きさが揃っていると、見た目が美しく、調理しやすいですが、不揃いのものでも味は変わらず、安く手に入ることがあります。どちらを選ぶかは、消費者しだいです。

規格外 にんじん 人参 ¥50

04 米はどうやって
つくられているの?

おなじみの白米ができるまでいろいろな仕事がある

米ができるまで

米ができるまでを、もう少しくわしく見ていきましょう。

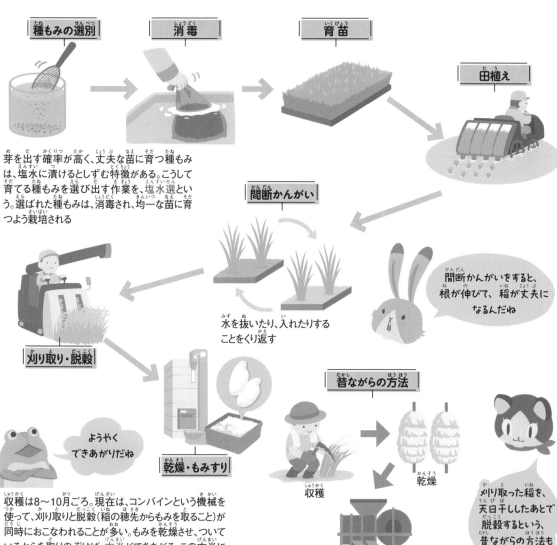

種もみの選別

消毒

育苗

田植え

芽を出す確率が高く、丈夫な苗に育つ種もみは、塩水に漬けるとしずむ特徴がある。こうして育てる種もみを選び出す作業を、塩水選という。選ばれた種もみは、消毒され、均一な苗に育つよう栽培される

間断かんがい

水を抜いたり、入れたりすることをくり返す

間断かんがいをすると、根が伸びて、稲が丈夫になるんだね

刈り取り・脱穀

昔ながらの方法

ようやくできあがりだね

乾燥・もみすり

収穫

乾燥

刈り取った稲を、天日干ししたあとで脱穀するという、昔ながらの方法もあるんだよ

脱穀

収穫は8～10月ごろ。現在は、コンバインという機械を使って、刈り取りと脱穀（稲の穂先からもみを取ること）が同時におこなわれることが多い。もみを乾燥させ、ついているからを取りのぞけば、玄米ができあがる。この玄米についているぬかと胚芽を取って精米したものが、おなじみの白米

全国で生まれた米

よく耳にする
コシヒカリ以外にも
たくさん品種があるんだね

各地で生まれた品種の
一部を地図に示したよ

この他にもたくさん
あるんだ

★ゆめぴりか
★ななつぼし
北海道

★青天の霹靂

★サキホコレ
★あきたこまち
青森

★新之助

秋田

★つや姫
★雪若丸
山形

★ひゃくまん穀
★風さやか

★ササニシキ
★ひとめぼれ
宮城

★コシヒカリ
新潟
石川

長野

★ミルキークイーン
茨城

★あきろまん

福井
神奈川
愛知

★きぬむすめ
★夢つくし

広島
滋賀

★はるみ

★夢しずく ……
佐賀
福岡
香川

★ゆめまつり

★夢ごこち

★おいでまい
熊本

★森のくまさん

日本へ米づくりが伝わったのは、縄文時代の終わりごろで、中国から伝来したと考えられています。中国でさかんになった稲作は、インドやアジア各地にも広がっていきました。

日本の米どころといえば、東北地方や北陸地方、北海道など、雪の多い地域を思いうかべるのではないでしょうか。

これらの地域の夏は、日中の気温が高く、夜は冷えるという特徴があります。この気温の差が、主成分となるでんぷんを、もみが蓄える働きをうながします。また、広い水田をつくることができ、雪解けの豊富な水源があることも、米づくりに適しています。あわせて、コシヒカリなど、寒さに強い品種がつくられたこと、ビニールハウスでの育苗など、寒さの影響を防ぐ技術が発達したことも、寒い地域での米づくりをあとおししてきました。実は、稲はもともと熱帯の植物で、日本でも温暖な地域を含め、全国各地で稲作がおこなわれているのです。

品種という言葉が出てきましたが、ひと言に稲（米）といっても、その中には味や性質のちがうものがたくさんつくられています。それら一つひとつを品種といい、それぞれちがった名前で呼ばれています。

05 農作物がたくさん手に入るのは当たり前のことなの？

改良を重ねて新しい品種がつくられている

農作物によって品種もさまざま

男爵いも

メークイン

キタアカリ

味や性質のちがうさまざまな品種があることは、米にかぎったことではありません。たとえば、ジャガイモにも、男爵いもやメークイン、キタアカリなど、みなさんにもおなじみのさまざまな品種があります。

煮くずれのしにくさや、ねばりのちがいなど、つくりたい料理に合った品種を選ぶことができます。また、稲作のように、その地域の環境に合った品種を選んで、栽培することもできるようになります。

品種改良が必要な理由

害虫や天候の変化に強い作物がつくれるといいね

災害　害獣　害虫　人手不足

人手不足を解決する方法はないのかな？

農業は、天気や土の性質、水の量などの環境に左右されます。また、季節や気候によって、害虫や雑草が作物の生育に影響をあたえるため、農薬や除草剤などを使った対策をする必要も出てきます。

さらに、こうした対策をして、広い田畑のすべて

に目を配るためには、人手が必要ですが、農業をする人の高齢化や、今後の人手不足が心配さてれています。

そこで、より育てやすく、おいしい品種をつくる、品種改良に期待が高まっています。

品種改良でめざすもの

遺伝子組み換え
ほかの生物の細胞から優れた遺伝子を取り出し、植物などの遺伝子に組み込んで新しい性質をつけ加える技術

ゲノム編集
生物が持つゲノムのねらった部分を、効率よく書き換え、性質を変える技術

課題は解決できるかな？

よい品種をつくるあたらしい方法に、遺伝子組み換えやゲノム編集があるよ

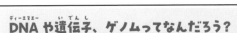

作業の効率化
農作業や加工が効率的にできる作物をつくる

多収化
より多く収穫できる作物をつくる

環境耐性化
厳しい環境でも育つ作物にする

高栄養化
作物の栄養価を高める

低毒化
アレルギーなどの原因になる成分が減るようにする

高品質化
加工したり運ぶときに、いたみにくい作物をつくる

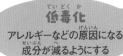

DNA や遺伝子、ゲノムってなんだろう？

　人も植物も、生き物はみんな、目に見えないほど小さな細胞が集まって、体をつくっています。細胞がどのように集まり、どのような役割をするのかを決める情報は、細胞の中にあるDNAという物質に記録されています。DNA は、とても長いひもの形をしており、一つひとつの小さな細胞は、DNA に、その生き物に必要なすべての情報を記録して持っています。DNA のところどころには、体の中でいろいろな働きをする、たんぱく質をつくるための重要な情報が書かれた遺伝子という場所があります。この遺伝子を含む、DNA 全体をゲノムと呼び、ゲノムは、体をつくり、生きていくために必要な情報のセットになっています。ゲノムのわずかなちがいは、顔立ちや体つきのちがいなど、個性も生み出します。稲の場合でも、栽培できる環境のちがいや、米の味のちがいが生まれるのです。

　より良い性質を持った品種をつくる方法には、どのようなものがあるのでしょうか。

　古くは、良い品種どうしをかけ合わせることをおこなってきました。その後、強い放射線や化学物質を使い、DNA に変化（突然変異）を起こさせる方法なども使われるようになりました。さらに近年、あらたに登場したのが、遺伝子組み換えやゲノム編集という技術です。

　遺伝子は、自然の中でも突然変異を起こしながら、少しずつちがう性質を持つ植物を生み出していますが、これを人の手でうながす技術には、さまざまな意見があるようです。安全性を保ちながら、必要とされる性質を持つ品種をつくる努力がおこなわれています。

06 魚や貝はどうやって食卓まで届いているの？

さまざまな人に運ばれて、食卓に届いているよ

とれたてを新鮮なままリレーするしくみがある

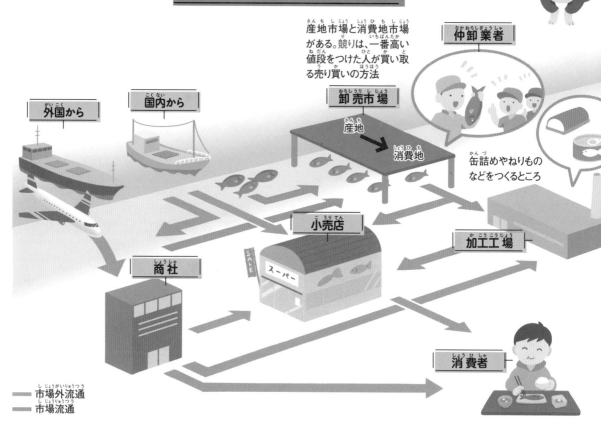

水産物のフードチェーン

産地市場と消費地市場がある。競りは、一番高い値段をつけた人が買い取る売り買いの方法

仲卸業者

卸売市場

産地 → 消費地

缶詰めやねりものなどをつくるところ

外国から

国内から

小売店
スーパー

加工工場

商社

消費者

― 市場外流通
― 市場流通

海でとれた魚や貝、海藻などの水産物は、どのようにして私たちの食卓まで届けられているのでしょうか？

漁師たちがとった水産物は、まず各地の漁港に水揚げされます。漁港には市場があり、仲卸業者が、競りによってこれらを買い取っていきます。仲卸業者は、さらに買い取った水産物を全国の市場へと運びます。ここでさらに、競りにかけられた水産物は、スーパーや料理店などへ販売する仲卸業者に買い取られていきます。このように、水産物が私たちの食卓にたどり着くまでには、多くの人々が、リレーのように橋渡ししています。

最近では、大手スーパーや外食チェーン店が、漁師たちから直接、大量に安く買い取るルートも増えてきています。

さらに、インターネットなどによって、消費者が直接漁師たちから水産物を買う方法もあり、「顔が見える」フードチェーンとして、人気が出はじめています。

水産物と日本の食文化

　私たちは、一年をとおして、四季折々の新鮮な海の幸を楽しむことができます。これは、日本の食文化の特徴のひとつです。日本では、魚や貝、海藻を食べてきた歴史がずいぶん長く、縄文時代の遺跡の中からも、鹿の角などでつくった釣り針が出土しています。

　この長い歴史の中では、生物の水産物を、より多くの人が安全に食べられるようにする工夫がなされてきました。たとえば、寿司のルーツを探ると、それは奈良時代までさかのぼるといいます。そのままでは腐ってしまう魚を長持ちさせるために、発酵させるなどの工夫が生まれました。酢でしめた魚と酢飯でつくる郷土料理の「押しずし」などに、その名残が感じられます。

　そのほかにも、天日干しや塩漬け、燻製にしたり、保存性を高める工夫が考えられてきました。

縄文時代の釣針

鮒ずし

押しずし

干物
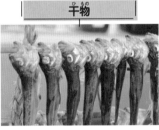

(左)所蔵：北海道洞爺湖町教育委員会
(右)所蔵：日比野 光敏
出典：株式会社Mizkan（すしラボ　すしの歴史(1) 日本古来の「発酵ずし」と、最古のすし屋「つるべすし弥助」）

日本人にとって、なじみの深い食べ物なんだね

発酵ってなんだろう？
　発酵とは、微生物の働きで、食べ物に変化が生じ、人にとって役立つものができることをいいます。

食生活を支えるコールドチェーン

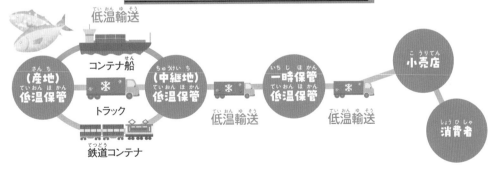

　現代では、コールドチェーンと呼ばれる輸送システムが発達しています。釣り上げた船の上や産地から、食卓に届けるまでの間、食品を冷蔵または冷凍した状態で輸送するしくみです。だれもがおいしく、安全に食べられる工夫は、今も進化しつづけています。

07 魚や貝はどうやってとられているの？

とる漁業や育てる漁業がある

とる漁業

水産物のフードチェーンは、魚や貝などをとる仕事（漁業）からはじまります。四方を海に囲まれた日本では、海や川、湖沼など、さまざまな水域で漁業がおこなわれています。水域ごとに、4つのとる漁業を紹介します。

沿岸漁業

10トン以下の船を使い、陸が見えるほどの海域でおこなう漁業。家族経営など、小規模でおこなうことが多く、日帰りで漁をする。とることができる水産物は、季節や地域によってさまざま

船の大きさ	5〜10トンの小型船
漁獲物	さまざまな魚・貝・海藻

どの漁業にも、さまざまな漁法があるよ。調べてみよう！

沖合漁業

10トン以上の船で港を出発し、日本の200海里水域内を漁場とする。日本でとれる水産物の半分以上が、沖合漁業でとられている。漁の期間は、2〜3日のこともあれば、1カ月以上かかることもある

船の大きさ	10トン以上の中〜大型船
漁獲物	アジ・サバ・イワシ・サンマ・ヒラメ・マグロ・カツオ・イカ・エビ・カニ　など

日本では、一番生産量の多い漁業だよ

遠洋漁業

100トン以上の大きな船を使い、外国の200海里水域内や、どの国にも属さない公海を漁場とする。日本の港に戻るまで、数カ月から1年半の長期にわたり漁をつづける。船には、さまざまな物資や燃料、漁師たちの食事をつくる料理長などの船員も乗っている

船の大きさ	100トン以上の大型船
漁獲物	マグロ・カツオ・イカ　など

世界の海を舞台にしているよ

内水面漁業

川や湖沼を漁場とする。小型の船を使ったり、岸に近い場所から投網などで漁をする。各地に、伝統的な漁法が存在するのも特徴。個人でおこなうことが多く、規模の小さい漁業

漁獲物 アユ・サケ・マス・ワカサギ・シジミ　など

育てる漁業

とる漁業に対し、育てる漁業もあります。魚や貝を稚魚や稚貝、またはたまごから育て、育ったものを出荷します。

養殖漁業

魚や貝の稚魚や稚貝、人工的に孵化させたたまごを、水槽やいけすで育てる漁業。成長したところで、出荷する。特に人気があり、高値のつく水産物が養殖されている

漁獲物 ブリ・マダイ・ホタテ貝・ノリ・カキ　など

育ったら出荷

栽培漁業

魚や貝の稚魚や稚貝、人工的に孵化させたたまごを、ある程度の大きさまで水槽やいけすで育てる。そのあと、一度海へ放流し、自然の中で成長したところで、再びとる漁業。放流した場所の環境管理も仕事のひとつで、減少する水産資源を回復させる一手として期待される

漁獲物 マダイ・ヒラメ・ホタテ貝・車エビ　など

養殖漁業と栽培漁業は、一度放流するかどうかが大きなちがいなんだね

栽培漁業では、魚や貝などの一番弱い時期を、人の手で守っているんだよ

08 魚や貝はいつまでも食べつづけられるの？

世界の海で資源を守ることが求められている

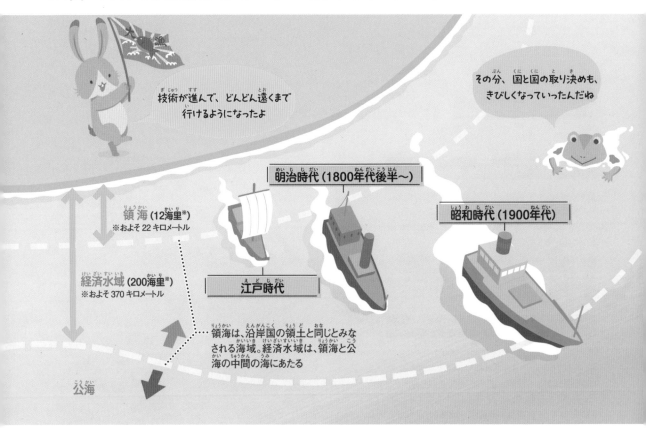

技術が進んで、どんどん遠くまで行けるようになったよ

その分、国と国の取り決めも、きびしくなっていったんだね

明治時代 (1800年代後半〜)

昭和時代 (1900年代)

領海 (12海里※)
※およそ22キロメートル

経済水域 (200海里※)
※およそ370キロメートル

江戸時代

領海は、沿岸国の領土と同じとみなされる海域。経済水域は、領海と公海の中間の海にあたる

公海

　たくさんの水産物が並ぶ食卓は、これからも当たり前のものなのでしょうか？

　一度に多くの水産物をとることができる漁法や道具は、江戸時代に発展したといわれています。さらに明治時代に入ると、船の大型化と機械化が進みました。こうした技術の発展により、漁業はより多くの水産物を求めて、より遠くの海へと進んでいくようになりました。

　そうした中で、水産資源をめぐって問題になったのが、海は誰のものかということです。

　1973年以降、世界の国々が経済水域200海里を設けはじめました。1994年には条約として、岸から約370キロメートル (200海里) の海域で漁業をすることや、海底の資源を採掘することなどの権利が、その沿岸国に認められるようになりました。同時に各国には、この海域の資源を守ること、管理することも義務付けられています。

　こうした流れから、外国の200海里内で漁業をする遠洋漁業の勢いはおとろえていきました。日本は現在、多くの水産物を外国から輸入しています。

水産資源のとりすぎ

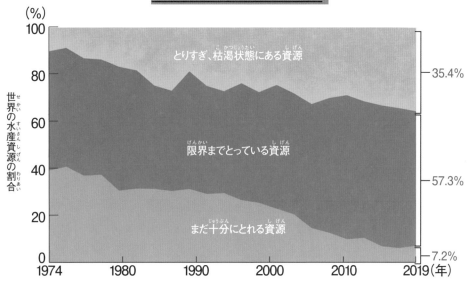

(%)

世界の水産資源の割合

- とりすぎ、枯渇状態にある資源 ── 35.4%
- 限界までとっている資源 ── 57.3%
- まだ十分にとれる資源 ── 7.2%

出典：国際連合食糧農業機関(FAO) "The State of World Fisheries and Aquaculture 2022" をもとに作成

世界の海で、たくさんの種類の水産資源がとり過ぎの状態にあり、状況は年々悪化している

ずっと食べつづけたいよね

そのためには、よく考えて努力することが必要なんだよ

海洋プラスチックごみ問題との関係は？

海の環境に大きな影響があるもののひとつとして、プラスチックごみが話題になりました。陸で使われたプラスチックが、ごみとなって川から海へ流れ出し、大量に漂っているといいます。その量は、「2050年には、海洋生物の総重量を超える」といわれるほどです。

また、プラスチックごみが海を漂っている間に、小さく砕けてできるマイクロプラスチックの存在も注目されています。マイクロプラスチックは海洋全体に広がっていて、世界中が抱える課題となっています。

さらに近年になってからは、世界中の海を、ひとつながりの海として見る動きが広まっています。海の全体で、水産資源の減少が起こっていることも、そのきっかけのひとつです。

魚や貝などの水産物は、限りある資源です。海でたまごからかえり、生きのびて成長できる魚や貝は、ごくわずかでしかありません。大量にとりつづければ、いなくなってしまう可能性があるのです。人の活動による気候の変化や海の汚染も、生き物全体に影響をあたえています。

こうした問題の多くは、世界中が協力しなければ解決できません。今と同じように、さまざまな水産物を食べつづけられるようにするには、人間にもさまざまな努力が必要なのです。

09 魚や貝を食べつづけられる ようにするには？

海と水産資源を守っていく必要がある

> これからは、国民の生活にとっても、大切な水産物だよ。TAC が決められる水産物は、これからも増えていくよ

とる量を決める漁獲割当量

とりつづけると減ってしまう魚介類

水産物をとりすぎないためのルールもつくられはじめています。そのひとつに、漁獲割当量（TAC：Total Allowable Catch）といって、それぞれの水産物で、とってもよい量を決めるしくみがあります。

日本では 2023年 4月現在、8種類の魚介類で、この漁獲割当量が決められています。この8種類は、とくに消費量が多く、たくさんとりつづけると、数がどんどん減ってしまうおそれのある魚介類です。

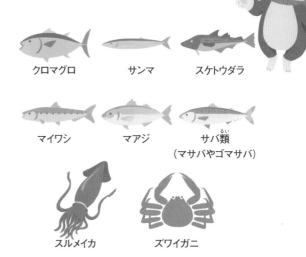

クロマグロ　　サンマ　　スケトウダラ

マイワシ　　マアジ　　サバ類（マサバやゴマサバ）

スルメイカ　　ズワイガニ

ルールを守るしくみ

漁獲割当量を守るためには、どのように漁業をおこなうとよいのでしょうか。

漁師や船ごとに、とってもよい量を決めておく方法があります。はじめに量が決まっていれば、競争してとる必要がなく、ゆとりのある漁ができますが、その量を公平に決める難しさもあります。

また、誰かがとりきれなかった量は、ほかの漁師がかわりにとることができるようにする方法もあります。全体として、効率よく漁ができますが、水揚げされる港や市場、流通に偏りが出る可能性があり、よく考えて、方法を選ぶ必要があります。

こうしたルールは、経済水域 200 海里内にやってくる、外国の漁師にも守ってもらうように決められています。

> 船ごとにとる量を決めておくんだね

> とる量を売り買いする方法もあるんだね

水産資源を守る水産エコラベル

水産資源を守るために、私たち消費者ができることはあるでしょうか？

まだ目にすることは少ないですが、水産エコラベルの貼られた水産物が、販売されるようになってきました。水産エコラベルは、海の環境や水産資源などに配慮して生産されたことが認められた水産物の証です。

水産エコラベルのついた水産物を買うことは、海の環境や水産資源を守る漁業や養殖業を支え、応援することにつながります。

持続可能な水産物の普及を目的に、2013年に設立された世界水産物持続可能性イニシアチブ（GSSI）で認められ、日本でも使われている水産エコラベルは、2023年10月現在、おもに3つです。

MSC のラベル	ASC のラベル	MEL のラベル
持続可能な漁業の推進を目的とした、イギリス発の水産エコラベル。水産資源と環境に配慮し、適切に管理された漁業でとられた、天然の水産物の証とされている	持続可能な養殖業の推進を目的とした、オランダ発の水産エコラベル。責任ある養殖水産物のみに認められるマークとされている	持続可能な漁業・養殖業・流通加工業の推進を目的とした日本発の水産エコラベル。資源や環境、食文化の保全に取り組んでいる生産者の証とされている
MSC：海洋管理協議会（Marine Stewardship Council）	ASC：水産養殖管理協議会（Aquaculture Stewardship Council）	MEL：一般社団法人マリン・エコラベル・ジャパン協議会

買う人も、選ぶことで応援できるね

海の環境を守るために、さまざまな取り組みがある

海の環境を守る活動には、先に紹介した海のごみに関する取り組みもあります。

香川県では、漁師たちが底引き網を使って、海底に沈むごみの回収をしています。回収されたごみは、沿岸の市町と県によって運搬、処理されます。海のごみは、陸の広い範囲から流されて集まったものです。運搬や処理にかかる費用は、県民全員で負担するしくみがとられています。

また、海に流れ込む水が、どこからやって来るのかを考えてみましょう。川をさかのぼると、山や森へとつながっていきます。このように、森、川、海はひとつにつながっているという考え方も広まりはじめています。

「森を守ることが、海を守ることにつながる」、そうした視点の活動も、各地で生まれています。身近な取り組みも、ぜひ探してみましょう。

漁業者・漁協

行政（沿岸市町と県）

処理費用

県 市 町

みんなで…

10 食肉はどうやって食卓まで届いているの?

農場から食卓までの長い道のりがある

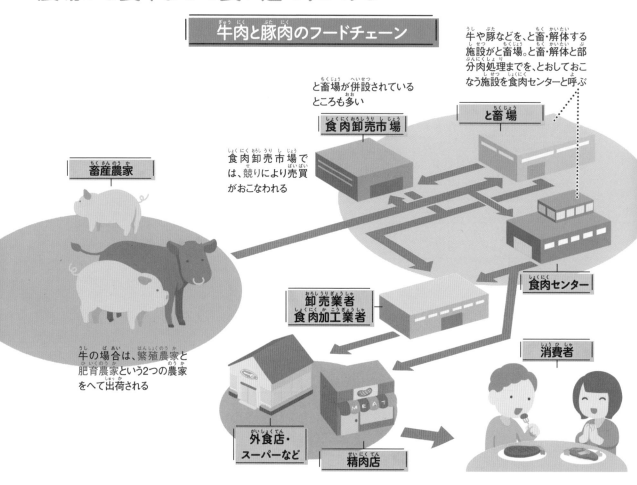

牛肉と豚肉のフードチェーン

牛や豚などを、と畜・解体する施設がと畜場。と畜・解体と部分肉処理までを、とおしておこなう施設を食肉センターと呼ぶ

と畜場が併設されているところも多い

食肉卸売市場

と畜場

食肉卸売市場では、競りにより売買がおこなわれる

畜産農家

牛の場合は、繁殖農家と肥育農家という2つの農家をへて出荷される

食肉センター

卸売業者 食肉加工業者

消費者

外食店・スーパーなど

精肉店

　食の欧米化が進む日本では、水産物にかわって、肉の消費量が増えています。1年間に1人が食べる肉の量（牛肉、豚肉、鶏肉をあわせた量）は、1960年ごろには、およそ3キログラムでしたが、2021年度には、33.8キログラムにまで増えました。現在の食事に欠かせなくなった食肉は、どのように食卓へ届けられているのでしょうか。
　食肉のフードチェーンは、畜産農家で動物を育て

るところからはじまります。およそ決められた期間育てられた牛や豚は、肉にするために出荷され、と畜場や食肉センターで、と畜、解体されます。解体されてできた枝肉やブロック肉は、食肉卸売市場や食肉センターで競りによって売り買いされたり、外食店や大手スーパーなどへ、直接届けられることもあります。

日本の肉食の歴史

　現在の日本では、多くの人が日常的に肉を食べていますが、そうではない時代もありました。

　はるか昔、縄文時代の終わりごろまで、人々は狩猟で得た動物の肉や、木の実などを食べ、生活をしていました。そこへ、農耕文化がもたらされ、広がっていくと、栽培した穀物が主食となりはじめます。大陸から入ってきた牛や馬などは、田畑を耕し、物を運ぶ力仕事に欠かせない動物でもありました。

　飛鳥時代からは、殺生をきらう仏教の教えが重なり、肉食が禁止されるようになっていきます。こうした肉食の禁止は、明治時代まで何度もおこなわれました。そのような中でも、江戸時代には、栄養が豊富で、健康を回復する食べ物ということで、薬喰いと呼び、ひそかに肉を食べる人たちもいました。

　風向きが変化したのは、ペリーの来航（1853年）をきっかけに、アメリカと物資のやりとりがおこなわれたときだといわれています。日本人は、欧米との食文化のちがいを目の当たりにしたのです。それからは、肉食をすすめる風潮が高まっていきました。

日本の肉食の歴史は、実はまだ、とても浅いんだね

食肉のブランド化

　近年では、和牛という呼び名が知られるようになりました。

　和牛とは、11 節で紹介する 4つの和種のことです。牛の種類に関係なく、日本で育てられた期間の長い牛を指す国産牛とは区別されています。和牛の特徴は、豊富なサシと、柔らかく独特の甘みがあるところです。赤身で筋肉質の欧米の肉とは異なるうまみがあります。

　和牛は海外でも人気が高く、輸出や外国人消費者をターゲットとした、外食による消費にも期待が高まっています。こうして見ると、肉食をめぐる日本の変化には、目まぐるしいものがあります。

WAGYU

和牛と国産牛はちがうんだね

外国でも日本の和牛は人気なんだ

どんな牛や豚が食肉になっているの？

牛や豚にもさまざまな品種がある

食肉となる牛にもさまざまな品種があります。スーパーの肉売り場で、和牛や国産牛というラベルを目にしたことはありませんか？

和牛は、黒毛和種・褐毛和種・無角和種・日本短角種の4種の牛のことをいいます。これらは明治以降、おいしい肉をつくるため、日本で改良を重ねて生みだされた牛たちです。

国産牛は、牛の種類に関わらず、長く日本で育てられた牛を指します。おもに、ホルスタインなど乳をとるための牛のオス（乳用種）や、乳用のメスに、和牛のオスをかけあわせた交雑種（F1と呼ばれます）などです。乳用の牛でも、乳を出すことができないオスは、肉用として育てられることになるのです。

その他、海外で品種改良された外国種では、アンガス種やヘレフォード種がよく知られています。

肉牛の品種

和牛

黒毛和種

褐毛和種

無角和種

日本短角種

外国種

アバディーン・アンガス種

ヘレフォード種

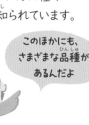

このほかにも、さまざまな品種があるんだよ

肉豚の品種

牛と同じく、豚にもさまざまな品種がありますが、日本で飼育されている豚は、現在、おもに写真の6品種です。食卓へ届けられる豚肉の多くは、それぞれの品種のよいところを受け継ぐように、かけあわされて生まれた豚（雑種）の肉です。このように、肉豚の生産は、発育のよい子豚がたくさん生まれ、味や肉質のよい多くの肉がつくれるように、工夫しておこなわれています。

一方で、純粋な品種のまま肉になる豚として、有名なのが黒豚です。黒豚は、バークシャー種の豚のことで、肉質がよいのが特徴です。体はやや小さく、出荷するまでの育成期間も長くなりますが、その分、価値の高さを強みとしています。

それぞれの農家が、品種や飼料、飼育環境にこだわりを持ってつくった豚の肉は、銘柄豚やブランド豚として流通することもあります。

ランドレース種

大ヨークシャー種

中ヨークシャー種

デュロック種

バークシャー種

ハンプシャー種

資料提供：独立行政法人家畜改良センター／熊本県農林水産部農業研究センター

三元豚ってなんだろう？

三元豚という言葉がよく聞かれます。おいしい豚肉といえば三元豚というような使われ方をすることもありますが、これは特定の品種を表す言葉ではありません。3つの品種の豚をかけあわせて生まれた豚の総称で、多くの場合、日本では、ランドレース種・大ヨークシャー種・デュロック種の3品種をかけあわせたもの※を指します。実は、流通しているものの多くが、この三元豚にあたります。おいしくて、とれる肉の量も多く、安定供給できることなど、それぞれの品種の長所が活かされた豚です。

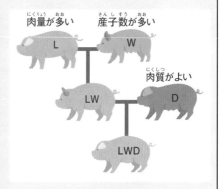

※メスのランドレース（L）とオスの大ヨークシャー（W）との交配で生まれたメスの豚（LW）に、デュロック（D）のオスの豚を交配することで、三元豚（LWD）と呼ばれる

12 牛や豚はどうやって食べ物になるの？

大切に育てられ、安全を保ちながら食肉になる

乳用種のオスの子牛はほとんど肉用として育てられるよ

育成の流れ

繁殖農家

母牛を交配し、出産させたあと、子牛を9〜10カ月の間、育てる農家。交配はおもに、人工授精でおこなう。子牛は4カ月ほどで離乳するが、母牛は子牛が離乳する前に、次の出産の準備に入る

肥育農家

競りで購入した子牛を、肉牛として出荷するまで育てる農家。健康でおいしい肉になるよう、健康状態と発育を見ながら、飼料の種類や量、飼育環境を管理する。牛の体重が約750キログラムになるころ、と畜場や食肉センターへ出荷する

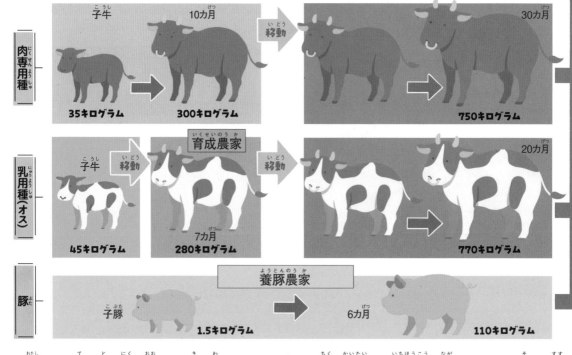

肉専用種
子牛 35キログラム → 10カ月 300キログラム → 移動 → 30カ月 750キログラム

乳用種（オス）
子牛 45キログラム → 移動 → 育成農家 7カ月 280キログラム → 移動 → 20カ月 770キログラム

豚
養豚農家
子豚 1.5キログラム → 6カ月 110キログラム

　私たちが手に取る肉の多くは、切り分けられていたり、調理されたものです。それらはもともと750キログラムもの牛、110キログラムもの豚など、生きた大きな動物なのです。生きた動物が食品として肉となるには、動物をと畜し、解体する必要があります。これを担うのが、と畜場や食肉センターという場所です。

　と畜と解体は、一方向に流れるレーンに沿って進み、肉をよごさないよう徹底した衛生管理をおこないます。

　皮を剥ぎ、内臓などを取り出して、肉と骨だけにした枝肉を、背骨で左右に切り分け、冷蔵保存します。枝肉や、さらに切り分けて、ブロックの状態にしたものが、市場へ流通していきます。

出荷から食品になるまで

　と畜と解体の過程では、安全な肉であることを確認するため、と畜検査員（獣医師）によるさまざまな検査をおこないます。すべての検査に合格した枝肉には、検印が押され、そのあとサシや肉質を見極めたうえで、日本食肉格付協会の食肉格付員が格付けをおこないます。と畜検査員の検査に合格して、検印を押していない枝肉は、と畜場から持ち出すことはできません。

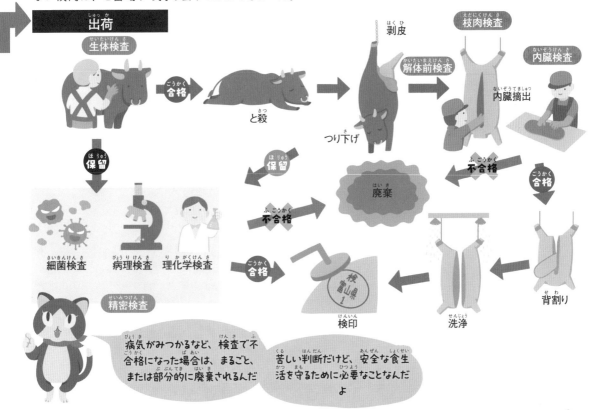

病気がみつかるなど、検査で不合格になった場合は、まるごと、または部分的に廃棄されるんだ

苦しい判断だけど、安全な食生活を守るために必要なことなんだよ

牛のトレーサビリティってなんだろう？

　牛のトレーサビリティというしくみを使って、牛肉がどのような道のりをたどって、私たちの前に届けられているのか、調べることができます。

　牛肉のパッケージに貼られたラベルには、10桁の番号が記載されています。この番号を、牛の個体識別情報検索サービス（独立行政法人 家畜改良センターのウェブページ）で検索すると、牛が生まれた日と場所、移動した農家、と畜・解体がおこなわれた施設の名前などを知ることができます。牛のトレーサビリティのしくみは、牛海綿状脳症（BSE）という、動物も人も共通して感染する病気の発生を受けてつくられたものです。万が一この病気が発生した場合、その牛がたどってきた場所、まわりにいた牛たちとの関係を追跡することができるようになっています。こうしたしくみを、食卓にいる私たちが、肉のフードチェーンを知る手がかりにしてもよいかもしれません。

13 鶏肉とたまごはどうやって食卓まで届いているの？

安くたくさん手に入るしくみがある

弥生時代以降

明治時代〜昭和初期

現在

鶏肉は今や、重量にして年間で一番多く食べられている食肉です（2021年度時点）。牛や豚などと比べると、1羽からとれる肉の量が少ないことを考えると、それだけたくさんの鶏を食用に育て、出荷していることになります。

鶏を飼育し、産んだたまごや肉を食べる食文化の歴史は長く、弥生時代にはじまり、古墳時代頃には定着していたといわれています。その頃の鶏は、たまごをとることを目的に飼育され、年老いてたまごを産まなくなると、肉として食べられてきました。鶏肉ははじめ、たまごの副産物のような存在でした。

飛鳥時代から江戸時代には、牛や豚など、動物を食べることが禁じられた長い歴史があります。その中でも、たまごをとり、最後に肉として食べる習慣は、ひっそりとつづいてきたといいます。江戸時代以降、まずはたまごを、つづいて肉を食べることが許されるようになり、だんだんと一般的な食べ物になっていきました。

ですが、貴重な栄養源であるたまごと鶏肉は、長い間、高価な食べ物として、庶民にはなかなか手が出せないものでもありました。現在のように、大量に生産し、価格が安くおさえられ、安定して購入できるようになったのは、昭和中期頃からです。その背景には、養鶏の大規模化、飼育や処理のオートメーション化があります。

鶏肉のフードチェーン

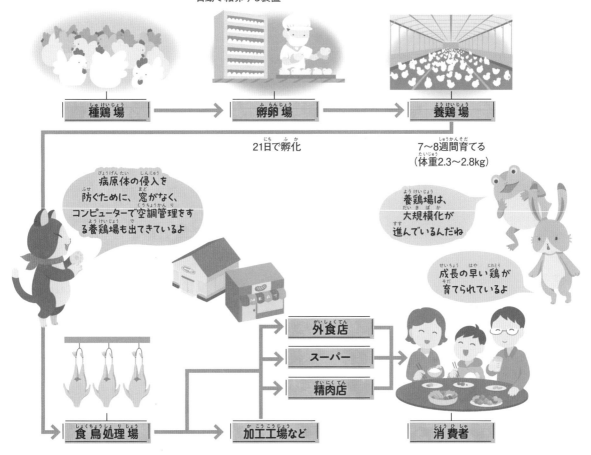

孵卵器は、親鶏がたまごをときどき転がしながら
温めるのと同じように、温度と湿度を保ちながら
自動で転卵する装置

種鶏場 → 孵卵場 → 養鶏場

21日で孵化

7〜8週間育てる
（体重2.3〜2.8kg）

病原体の侵入を防ぐために、窓がなく、コンピューターで空調管理をする養鶏場も出てきているよ

養鶏場は、大規模化が進んでいるんだね

成長の早い鶏が育てられているよ

外食店
スーパー
精肉店

食鳥処理場 → 加工工場など

消費者

出典：沖縄食鶏加工株式会社「鶏肉の生産から消費者までのイメージ」をもとに作成

　鶏肉のフードチェーンは、種鶏場と呼ばれる施設で親鳥にたまごを産ませ、孵卵場で、それを人工的に孵すところからはじまります。孵卵器にたまごを並べて育てると、21日でヒナが孵ります。ヒナは、生まれたその日のうちにオスとメスに選別され、養鶏場へと出荷されます。

　鶏は、肉になる肉用鶏と、たまごをとるための採卵鶏に分けられます。肉用鶏の中で、一番多く飼育され、成長が早いのがブロイラーです。鶏肉のパッケージでよく見かける若鶏という表示は、多くの場合、ブロイラーを指します。ブロイラーは、養鶏場で約50日育てられ、体重にして2.3キログラム（小型）から2.8キログラム（大型）となるころ、食鳥処理場へと出荷されます。処理場では、牛や豚と同じく、鶏の健康状態の確認やと殺と、羽や脚、内臓を取り除いて、部位ごとに解体する作業がおこなわれます。これらは、卸売業者や加工業者をへて、スーパーなどの販売施設や外食店などへ販売され、私たちの食卓に並びます。

14 どんな鶏が肉やたまごを生み出しているの？

肉とたまごでそれぞれ適した鶏がいる

出荷して食品になるまで

肉用に育てられた鶏は、およそ50日間で、食鳥処理場へと出荷されます。このとき、腸内に残った食べ物が、細菌の汚染につながらないように、飼料を与えない時間をつくって出荷します。

処理場に到着した鶏は、食鳥検査員（獣医師）または食鳥処理衛生管理者によって、1羽ずつ健康状態が確認されます。安全に食卓へ届けられる鶏のみ、と殺・解体の処理へと進みます。

と殺後、60℃ほどのお湯に浸して羽を取り、頭と内臓、脚を順に取り除いて、肉となる部分を切り分けていきます。取り除かれた内臓は、外からはわかりづらい病気や異常がないか確認されたあと、部分的に食用として利用されます。

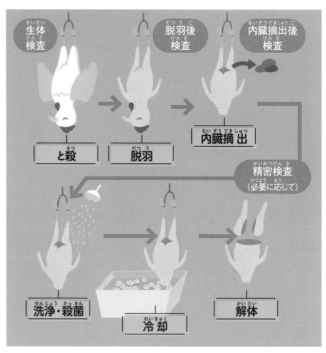

出典：兵庫県保健医療部生活衛生課
「食肉衛生検査センターだより―畜産技術ひょうご79号」をもとに作成

平飼いたまごってなんだろう？

鶏肉やたまごを、なるべく安く届けるためには、できるだけ多くの鶏を短期間で育てる必要があります。そのため養鶏場では、限られた空間で、できるだけたくさんの鶏を飼育することや、作業を自動にする大規模工場化が進んでいます。また、飼育数が多いほど、鳥インフルエンザなどの病気の発生が大きな打撃となるため、病原体が入り込まないように窓のない空間で飼育される傾向にあります。

ですが近年、たまごや肉がどのような環境で育てられた鶏のものか、関心を持つ消費者が増えています。たまごのパッケージにも、平飼いたまごの表示が目につくようになりました。平飼いは、ケージ（鳥かご）を使わず、平らな地面の上を鶏が自由に行動できる飼育方法です。本来の習性に近い行動がとれるので、ストレスが減り、健康に育ちます。その反面、一度に飼育できる鶏の数が少なく、手間もかかり、食品になったときの価格が高くなることは避けられません。

鶏の品種

肉用の鶏の種類

鶏肉として、一番多く流通しているブロイラーは、白色コーニッシュと白色プリマスロックという品種を交配して生まれたものが一般的で、成長が早いのが特徴。スーパーなどで手にするパッケージに書かれた若鶏という表示は、たまごから孵って3カ月に満たない若い鶏を指し、その多くがブロイラー。

その他にも、肉用とたまご用の両方として、ロードアイランドレッドやニューハンプシャーという品種がある

オス

白色コーニッシュ

×

メス

ブロイラー

ロードアイランドレッド

白色プリマスロック

ニューハンプシャー

地鶏と銘柄鶏

おいしいと人気の地鶏は、明治時代までに日本にやってきて定着した、在来種（現在は38品種）の血統が半分以上保たれた鶏。孵化してから75日は飼育し、28日目以降は平飼いにするなど、育てる環境にも厳しい条件がつけられ、その分、肉の価格も高くなる。

銘柄鶏は、在来種の血統が半分以下のものや、飼育方法や飼料などに工夫を加えて肉の風味をよくしたもので、青森県の桜姫、千葉県のあじわい鶏などが知られている

日本三大地鶏

名古屋コーチン

比内地鶏

薩摩鶏※

※天然記念物である薩摩鶏を父とする「さつま若しゃも」「さつま地鶏」「黒さつま鶏」の3種が食用となっている

たまご用の鶏

食卓に届けられるたまごの多くは、たくさんのたまごを産むように改良を重ねたレイヤーと呼ばれる鶏のたまご。レイヤーには、白色レグホン（白玉）やロードアイランドレッド（赤玉）などの品種が使われている

白色レグホン

採卵鶏の一生は？

採卵鶏の場合、養鶏場で飼育されるのは、たまごを産むことができるメスの鶏のみです。ヒナは約5カ月で大人になり、たまごを産みはじめます。産まれるたまごの数が増える産卵ピークの時期をへて、2年ほどで、だんだんと産卵が減っていきます。たまごの数が減った採卵鶏もまた、最後には加工用の肉として使われ、一生を終えるのです。

資料提供：独立行政法人家畜改良センター／あきた北農協共同組合／
鹿児島県地鶏振興協議会

15 牛乳はどうやって食卓まで届いているの？

規則正しい作業が毎日つづけられている

牛乳のフードチェーン

たんぱく質やカルシウムがたくさんとれる牛乳は、給食でも欠かせない存在です。私たちは、牛乳を1年で1人当たり30キログラム以上も飲んでいると

いわれています。これら牛乳や乳製品も、食卓まで長い道のりをへて、届けられています。

酪農家

乳用の牛（乳牛）を育て、乳を搾って出荷したり、搾った乳から食品をつくる農家を酪農家という。牛乳のフードチェーンは、酪農家によって、牛を育て、乳搾り（搾乳）するところからはじまる

酪農家では、そうじやエサやりも大切な仕事だよ

搾乳

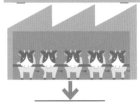

搾乳は、早朝と夕方の1日2回、決められた時間におこなわれる。たくさんの乳が出るように改良された乳牛は、決められた時間にしっかりと搾乳をすることが、牛の健康管理に欠かせない。そのため、規則正しく搾乳をおこなう必要がある

集乳・計量

農家ごとに集め、冷やされた生乳は、生産者団体のタンクローリーによって毎日回収され、乳業メーカーなどの工場へ運ばれる

牛乳工場

| | 冷やして保管し、検査する | 検査に合格した生乳を集める | ごみをとる | クリームの塊をなくす |

 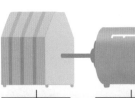 

受入検査 | 冷却機 | 貯乳タンク | 清浄機 | 均質機

乳牛はどうやって乳を出しつづけているの？

　牛乳は本来、子牛を育てるために母牛が出すもので、牛が妊娠・出産することで、はじめて出るようになります。酪農家では、乳を出してもらうように、牛が妊娠と出産をくり返すように管理します。そして、それを計画的に進めるため、人工授精がおこなわれます。乳牛のホルスタインの場合は、人工授精が成功すると、およそ280日で子牛を産み、乳を出すようになります。子牛は生まれてすぐに母牛から離されるため、直接乳を飲むことができる時間はほとんどありません。

　出産を終えた母牛は、搾乳しながら85日ほど休んだあと、再び人工授精によって次の出産の準備をします。こうすることで、1年をとおしてほとんどの期間、乳が出るようにするのです。搾乳がおこなわれないのは、乳量が減る、出産前のおよそ60日間のみです。

　このように、1年に1頭のペースで子牛を産む必要がある乳牛のメスに、和牛のオスをかけあわせ、生まれた子牛を肉用にすることもあります。

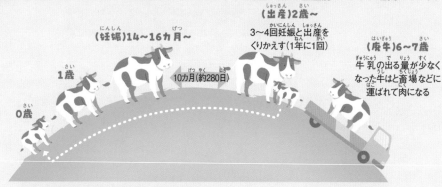

(妊娠)14～16カ月～

(出産)2歳～
3～4回妊娠と出産をくりかえす(1年に1回)

(廃牛)6～7歳
牛乳の出る量が少なくなった牛はと畜場などに運ばれて肉になる

1歳

10カ月(約280日)

0歳

出典：一般社団法人 中央酪農会議「調べ学習のための　酪農キッズファーム　牛の一生」をもとに作成

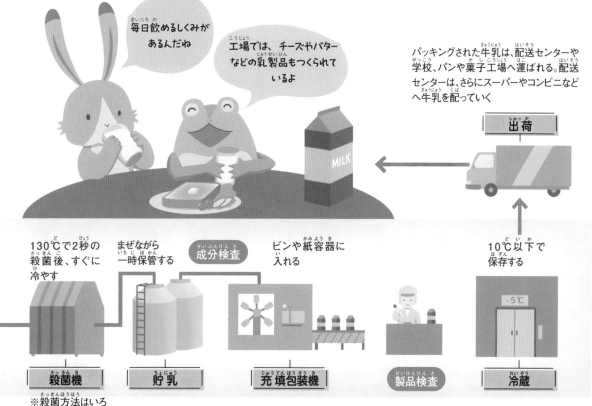

毎日飲めるしくみがあるんだね

工場では、チーズやバターなどの乳製品もつくられているよ

パッキングされた牛乳は、配送センターや学校、パンや菓子工場へ運ばれる。配送センターは、さらにスーパーやコンビニなどへ牛乳を配っていく

出荷

MILK

130℃で2秒の殺菌後、すぐに冷やす

まぜながら一時保管する

成分検査

ビンや紙容器に入れる

10℃以下で保存する

殺菌機　　**貯乳**　　**充填包装機**　　製品検査　　**冷蔵**

-5℃

※殺菌方法はいろいろある

⬛16 🍚 どうして食品になる生き物を知ることが大切なの？

私たちの暮らしや健康と結びついている

「いただきます」の意味

「いただきます」にも「ごちそうさまでした」にも、込められた意味があるんだよ

「ごちそうさま」の馳走は、走り回るの意味で、走り回って食べ物を準備してくれた人々へ、無事に食事を終わらせ、命をつないだことへの感謝が込められている

肉や乳をはじめ、毛や皮など、人がその生産物を利用するために飼養する動物のことを、家畜といいます。野生の動物は含まれず、長い年月をかけて、人が利用しやすいように改良され、人工的に育てられる動物たちです。人が利用しやすいということには、肉や乳が豊富でおいしいという以外にも、人に従順で飼いやすいという性質も含まれます。

家畜は、その本来の寿命をまっとうすることはほとんどありません。乳やたまごをとるために飼養される動物も、その生産量が減ってくると、最終的に食肉として出荷されます。

「いただきます」という言葉には、フードチェーンに関わる人々への感謝の気持ちを込めて、食べ物を頭の上にかかげる（押しいただく）という意味とともに、家畜の命をいただくという意味があるといいます。「いただきます」という言葉を口にするとき、あらためてフードチェーンを思い浮かべ、想像をふくらませてみましょう。

人と動物の幸せと健康

　近年、これらの家畜のウェルフェア（健康で快適な生活）を考え直そうという動きが広まりつつあります。

　肉や乳、たまごをより多くつくるために、せまい空間に多くの動物をつめこんだり、動物の習性を無視するような飼養法を、見直そうというのです。

　動物は、本能や習性を発揮して過ごすことで、ストレスが減り、自然に健康な体づくりができます。そしてこれは、動物のためだけではなく、私たちにも大きく関わっています。心身ともに健康な家畜を育てることは、安心、安全な食品生産にもつながると考えられているからです。

本来の習性を、なるべく発揮できる飼養環境づくりをおこなう農家も出てきている

食品でつながる輪

　私たちの食卓を彩る、穀物や野菜、肉や魚などの食品が、どこでどのようにつくられ、運ばれてくるのか、全体像を紹介してきました。

　食品は、つくり手や、つくり手と消費者をつなぐ人、またそれらを支えるしくみがあって、ようやく食卓にたどり着きます。こうした、普段の生活では見えないフードチェーンのつながりが、手にした食品の一つひとつにあることを、ぜひ想像してみてください。日々、このつながりが欠けることなくつづくことで、私たちは豊富な食品に囲まれて暮らすことができます。

ワンワールド・ワンヘルスとは？

ひとつながりの健康を目指して

2004年に、ニューヨークで開かれた国際会議で、はじめて使われた言葉なんだよ

出典：福岡県保健医療介護部保健医療介護総務課
　　　ワンヘルス総合推進室

　みなさんは、One Health（ワンヘルス）という言葉を聞いたことはありますか？

　人が健康であるためには、動物が健康であるとともに、生き物の多様性が維持された、豊かな生態系が必要です。このように、人、動物、環境の健康がつながり合っていることを表すのが、ワンヘルスです。これを食品をとおして考えてみましょう。

　肉やたまごなどは、健康な動物から得られたものでなければなりません。また、米や野菜などの農作物は、安定した環境がなければ、十分に育つことができません。

　2019年から、世界で猛威をふるった新型コロナウイルス感染症では、食用に流通する野生動物が持っていたウイルスが人に感染し、広がっていったと考えられています。このように、食をとおして、人にとって未知の感染症が、動物から人にもたらされる場合もあります。

　さらにワンヘルスの視点で、家畜の育て方や管理の方法を見直す動きがあります。より早く、多くの肉がとれるように育てられる家畜には、発育をうながす効果を期待して、抗菌剤（細菌を殺したり、増えるのをおさえる薬）を飼料に混ぜる方法がとられています。抗菌剤は、使いつづけると、その薬ではやっつけられない細菌が増えてしまう場合があり、こうした細菌が家畜の糞や尿をとおして、環境を汚染する可能性も考えられています。また、肉を介して、人へ影響をあたえる可能性も考えなければなりません。ヨーロッパの多くの国々では、発育を早める目的で、抗菌剤を飼料に混ぜることが禁止されるなどの動きが出ています。

　ワンヘルスは、人・動物・環境を地球規模で考える、広く大きな課題ですが、まずは、食卓から想像をふくらませてみましょう。どんな環境で育てられた野菜や肉が食べたいか、選ぶみなさんの考えが、食の未来を変えていきます。

3章

食品でどうやって世界はつながっているの？

01 フードチェーンはどこまで広がっているの？

世界中につくる人と食べる人のつながりがある

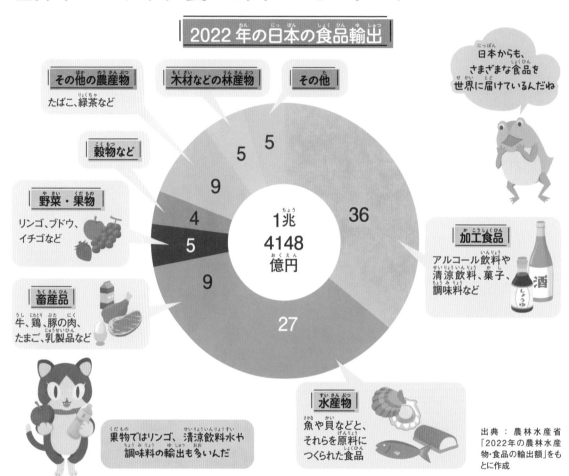

2022年の日本の食品輸出

その他の農産物
たばこ、緑茶など

木材などの林産物

その他

5

5

穀物など

9

野菜・果物
リンゴ、ブドウ、
イチゴなど

4

36

1兆
4148
億円

5

畜産品
牛、鶏、豚の肉、
たまご、乳製品など

9

27

日本からも、
さまざまな食品を
世界に届けているんだね

加工食品
アルコール飲料や
清涼飲料、菓子、
調味料など

酒

果物ではリンゴ、清涼飲料水や
調味料の輸出も多いんだ

水産物
魚や貝などと、
それらを原料に
つくられた食品

出典：農林水産省
「2022年の農林水産
物・食品の輸出額」をも
とに作成

1章では、日本の食卓を彩る食品の多くが、外国から運ばれてきていることを紹介しました。反対に日本からも、魚介類や肉類、米、酒など、さまざまな食品が外国へ輸出されています。どのような食品に人気があるのでしょうか。

2022年に輸出された食品を、輸出額の高い順番で見てみると、1位アルコール飲料、2位ホタテ貝、3位が牛肉となりました。

アルコール類では、日本で製造するウイスキーや日本酒の人気が高まりを見せています。また、レストランなどで使われることの多いホタテ貝は、北海道での生産が増えたこと、貴重な食材のため価格が高いことなどを理由に、2位にランクインしました。3位の牛肉は、外国でも人気の食材です。日本の和牛は、やわらかさや風味のよさから、外国の人たちにも好まれています。

フードチェーンと人々の課題

欧米・日本など

先進国には、世界中から集められた食品が並ぶ、豊かな食卓がある。その一方で、日本では、食料自給率の低さや、貧しい生活をおくる家庭の増加などの課題も抱えている

アジア太平洋・ラテンアメリカ

児童就労や低い賃金で、先進国へ輸出する農作物をつくる国や地域がある。農薬などがたくさん使われ、健康に問題が出たり、環境汚染が起こることもある

アフリカ（サハラ以南）

貧しい家庭が多く、学校で学ぶ年ごろの子どもたちが、農場で働く児童就労が問題となっている国や地域がある。そこでつくられた食品の多くを、先進国が輸入している

食品からは、つくる人の顔がなかなか見えないよね

　日本から輸出する国と地域では、中国、香港、アメリカの順で輸出額が高くなっています。その他にも、日本から世界各国へと食品は運ばれています。

　このように、活発な貿易によって、世界各地の食品を手に入れ、楽しむことができる国や地域がある一方で、1章で見たように、多くの人が飢餓に苦しむ場所もあります。中には、先進国の食卓をう

るおすために、自分たちの暮らしを犠牲にしながら、食品の生産をしている人たちもいます。

　また2章では、食品がつくられ、食卓にやってくるまでのフードチェーンについて紹介しました。

　ここからの3章では、フードチェーンのはじまりに注目し、食品の世界をもっと広く見渡してみましょう。

食べ物をつくるために欠かせないものはなんだろう？

土地と水がなければはじまらない

食料づくりには土地と水が必要

みなさんは、米や野菜などの農作物や、肉やたまご、牛乳といった畜産物をつくるために、一番欠かせないものはなんだと思いますか？ 植物の種、動物、田畑を耕す道具、物を運ぶトラックや工場など、いろいろな答えが出てきそうですね。

なくてはならないものといえば、まず土地と水です。種があり、動物がいても、広い土地がなければ、育てることができません。また、土地があっても、植物や動物が生きていくためには水が欠かせません。

世界の人口を支えるためには、これからますますたくさんの食料をつくる必要があります。ですが、土地や水は、必要なときに自由に増やしたり減らしたりすることができません。どこで、どれくらいの食料をつくることができるのかは、土地や水がどれほどあるかにかかっています。あって当たり前のものが、食料づくりの鍵になっているのです。

土地や水が足りない国がある

■水も土地も十分にある
■どちらかまたは両方がギリギリ
■水が足りない
■土地が足りない
■水と土地の両方が足りない

日本
土地が足りない。山林が多く、人口も多いため、農地にできる面積が少ない

サウジアラビア
水が足りない。雨が少ない乾燥地帯にあたり、生活用水の多くを海水の淡水化にたよっている

アルジェリア
水と土地の両方が足りない。国土の80％以上がサハラ砂漠にあたる

出典：Marianela Fader et al. "Spatial decoupling of agricultural production and consumption: quantifying dependences of countries on food imports due to domestic land and water constraints", (2013)をもとに作成

今と同じ食生活を、ずっとつづけていけるのか、心配だね

　そこで、ドイツの研究者 Marianela Fader さんらは、興味深いことを調べました。それぞれの国や地域の中で、そこに住む人たちが、現在消費している農作物を、すべて自分たちでつくろうとすると、土地や水は十分にあるのでしょうか。国や地域ごとに詳しく調べ、上のような地図をまとめました。

　サウジアラビアやスイスなどでは水が、日本を含めたいくつかの国や地域では、土地が決定的に足りません。また、西アジアや北アフリカには、土地も水も足りない国や地域があります。こうした国や地域では、もはや今食べている食事を、自分たちでつくることが、できないことを示しています。

03 食料をつくるための土地はなぜ足りないの？

利用ずみの土地やせた土地では食料がつくれない

つくることができない場所

ちがう目的で使われている土地は、もう使えないよね

こわしてはいけない森や公園もあるよね

　農作物をつくるために、土地が足りないということは、どうして起こるのでしょうか。

　その国や地域に暮らす人たちの数に対して、国土が小さければ、食料をつくるために使える土地も小さくなります。人が住むための場所や、開発の進んだ都市部には、農地をつくることができません。さらに、工業が発展した地域では、農地の代わりに工場などをつくるために、土地が使われます。

　日本では、山や起伏のある地形が多いことも、農地にすることが難しい原因のひとつとなっています。

　世界の事情を見てみると、砂漠などのやせた土地や、家畜を放牧する放牧地なども、農作物をつくるのに適した土地ではありません。また、保全しなければならない森林や公園なども、農地にできない土地といえます。

砂漠化が起こる原因

気候の変化

地球が、もともとくり返している気候の変動（干ばつ、乾燥化など）が、砂漠化の原因になることがある。一方で、人の活動が、気候の変化にあたえる影響も大きくなってきた

人間の活動

過放牧

過農耕

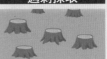
過剰採取

ヤギやヒツジを放牧し過ぎたり、畑のつくり過ぎ、植物のとり過ぎ（薪など）が起きた土地では、植物が減って表土がむき出しになり、風食や水食が起こりやすくなる

風食

風が、地表の土を吹き飛ばす風食。吹き飛ばされた場所も、吹き飛んだ土がたまる場所でも、植物は育つことができない

水食

雨粒と水の流れの勢いによって、地表の土が流される水食。砂漠化の原因の多くが、この水食であるといわれている

塩害

日差しが強く、雨の少ない乾燥した土地で、川や湖の水、地下水を一度に大量に使って植物を育てるときに、起こりやすい塩害。それらの水に含まれる塩類は、水が蒸発したあとも地表に残り、植物を枯らしてしまう

砂漠化

農作物が育たず、人も住めない場所といえば、砂漠が思い浮かびます。砂漠はもともと、気候や地形によって、自然につくり出されたものです。ところが近年、人が住み、緑のあった場所から、養分や水分を含んだ土が失われ、植物が育ちにくい土地に変わる現象が起き、問題となっています。これを砂漠化といいます。砂漠化の原因には、気候の変化によるものと、人間の活動によるものがあります。

04 食料をつくるための水はなぜ足りないの？

限られた水が偏って存在している

地球上の水

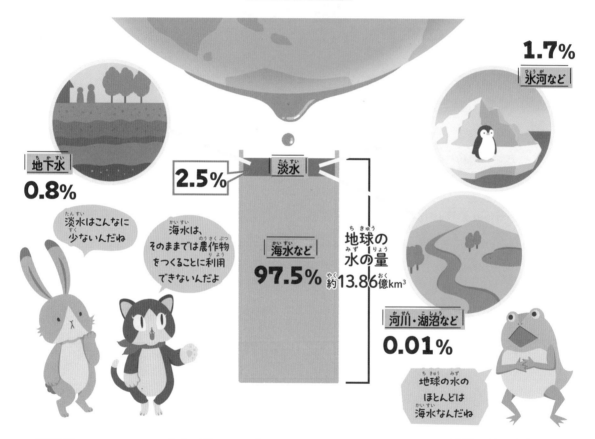

1.7%
氷河など

地下水
0.8%

2.5%
淡水

淡水はこんなに少ないんだね

海水は、そのままでは農作物をつくることに利用できないんだよ

海水など
97.5%

地球の水の量
約13.86億km³

河川・湖沼など
0.01%

地球の水のほとんどは海水なんだね

農作物をつくるために、土地と同じように足りなくなることが心配される水。どうして、そのようなことが起こるのでしょうか。

植物を育てるためには水が必要ですが、水ならばなんでもよいというわけではありません。人が飲む水と同じく、植物を育てるために必要な水も、塩分の濃度が低い淡水です。

水の惑星と呼ばれる地球には、豊富な水がありますが、そのほとんどは、塩分の多い海水です。淡水は、地球上の水のうち2.5%で、ごくわずかしかないのです。そのうちの多くは、南極や北極に氷として存在するため、すぐに使えるものではありません。

また、手に入れることのできる淡水のある場所には偏りがあるため、十分に得られる場所と得られない場所があります。

淡水の循環

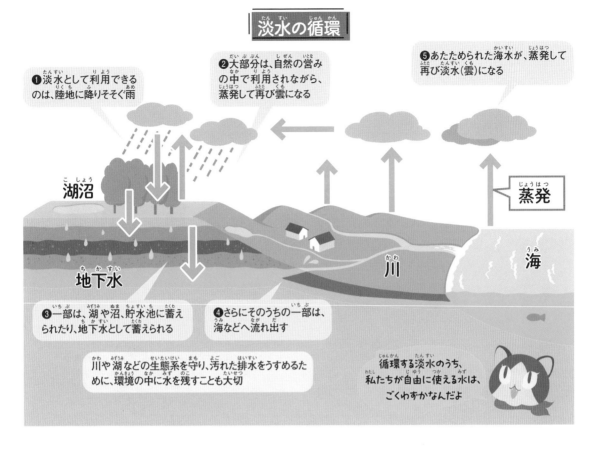

❶淡水として利用できるのは、陸地に降りそそぐ雨

❷大部分は、自然の営みの中で利用されながら、蒸発して再び雲になる

❺あたためられた海水が、蒸発して再び淡水（雲）になる

湖沼

蒸発

川

海

地下水

❸一部は、湖や沼、貯水池に蓄えられたり、地下水として蓄えられる

❹さらにそのうちの一部は、海などへ流れ出す

川や湖などの生態系を守り、汚れた排水をうすめるために、環境の中に水を残すことも大切

循環する淡水のうち、私たちが自由に使える水は、ごくわずかなんだよ

水の使い方でふたつの農業がある

農業には、降り注ぐ雨水を利用する天水農業と、川や湖の水や、地下水などを水路で引き込み、人工的に水を補給する灌漑農業のふたつがあります。

水田に水を満たしておこなう稲作は、代表的な灌漑農業のひとつです。せまい土地の中で、多くの人口を養う必要があった日本では、稲作のための灌漑設備の発展と拡大が、欠かせませんでした。

一方で、灌漑農業には大量の水が使われ、世界のいくつかの地域では、使い過ぎが問題になっているところも出てきています。

淡水は、好きなときに、ほしい分だけ湧いて出てくるものではありません。降り注いだ雨も、やがて蒸発して雲となり、再び雨になるという循環をたどり、増えつづけることはありません。それらをどのように上手に利用するのか、考えなければなりません。

05 ウォーターフットプリントってなんだろう？

水は食品となって世界を行き来している

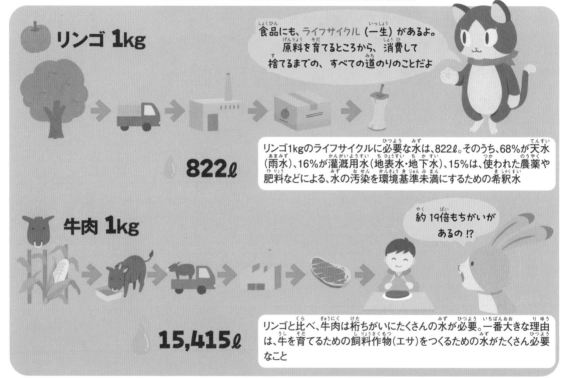

ウォーターフットプリントの考え方

リンゴ 1kg

食品にも、ライフサイクル（一生）があるよ。原料を育てるところから、消費して捨てるまでの、すべての道のりのことだよ

822ℓ

リンゴ1kgのライフサイクルに必要な水は、822ℓ。そのうち、68％が天水（雨水）、16％が灌漑用水（地表水・地下水）、15％は、使われた農薬や肥料などによる、水の汚染を環境基準未満にするための希釈水

牛肉 1kg

約19倍もちがいがあるの!?

15,415ℓ

リンゴと比べ、牛肉は桁ちがいにたくさんの水が必要。一番大きな理由は、牛を育てるための飼料作物（エサ）をつくるための水がたくさん必要なこと

出典：Water Footprint Network,"Product Gallery",July 21,2023をもとに作成

　私たちの大切な飲み水であり、動植物が生きるために必要な淡水は、限りのある貴重な資源です。もともとは植物や動物である食料を、私たちは外国からたくさん輸入していますが、それは、それらを育てるために使った水も、輸入していることと同じです。

　水不足を感じることの少ない日本では、気がつきにくいことですが、私たちはずいぶんたくさんの水を、遠い国や地域に頼っているといえるのです。

　このことをわかりやすくするのが、ウォーターフットプリントという考え方です。

　ウォーターフットプリントは、食品の原料や飼料を育てるところから、食品が食卓で消費されるまでのライフサイクル全体で、どのくらいの水が使われているのかを割り出したものです。どのような水が使われているのか、また、よごした水をうすめるために必要な水なども合わせた総量を表します。

食品として輸入している水の量

下の世界地図は、東京大学と国立環境研究所の研究チームが調べたもので、農作物5種類（大麦、トウモロコシ、米、大豆、小麦）と、畜産物3種類（牛肉、豚肉、鶏肉）を日本に輸出するために、世界各国でどのくらいの水が使われたかを推計しています。

食料を輸入することは、これだけ多くの水を輸入しているということにもなるのです。

水の輸入量（穀物・畜産物／2000年）

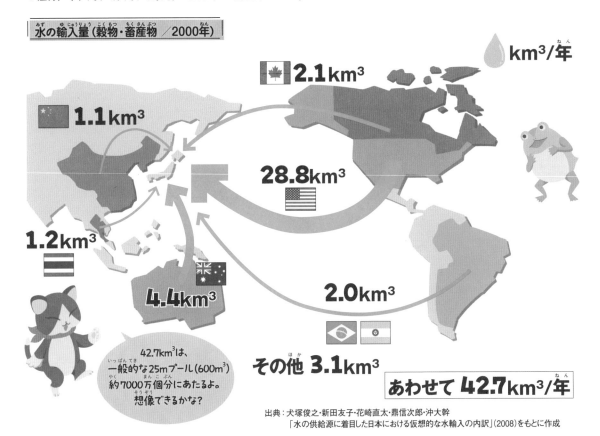

km³/年

🍁 **2.1**km³

1.1km³

28.8km³

1.2km³

4.4km³

2.0km³

42.7km³は、
一般的な25mプール（600m³）
約7000万個分にあたるよ。
想像できるかな？

その他 **3.1**km³

あわせて **42.7**km³/年

出典：犬塚俊之・新田友子・花崎直太・鼎信次郎・沖大幹
「水の供給源に着目した日本における仮想的な水輸入の内訳」(2008)をもとに作成

バーチャルウォーターってなんだろう？

ウォーターフットプリントと似た考え方に、バーチャルウォーターというものがあります。バーチャルウォーターとは、輸入している食品を、自分たちの国で生産する場合、どれほどの水が必要であったかを推計するものです。

環境省のウェブサイト「バーチャルウォーター（virtual water）」では、バーチャルウォーター量を計算することができる仮想水計算機というページが設けられています。身近な食品をつくるために必要な水の量を、確かめてみましょう。

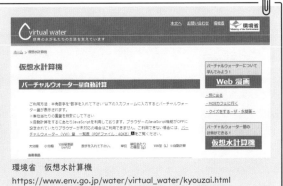

環境省　仮想水計算機
https://www.env.go.jp/water/virtual_water/kyouzai.html

06 フード・マイレージって なんだろう？

食品を運んだ分だけ環境にも影響を与える

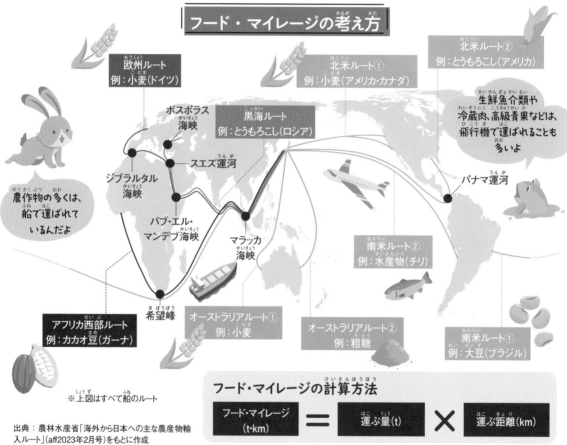

フード・マイレージの考え方

欧州ルート
例：小麦（ドイツ）

北米ルート①
例：小麦（アメリカ・カナダ）

北米ルート②
例：とうもろこし（アメリカ）

ボスポラス海峡

黒海ルート
例：とうもろこし（ロシア）

生鮮魚介類や冷蔵肉、高級青果などは、飛行機で運ばれることも多いよ

スエズ運河

ジブラルタル海峡

パナマ運河

農作物の多くは、船で運ばれているんだよ

バブ・エル・マンデブ海峡

マラッカ海峡

南米ルート②
例：水産物（チリ）

希望峰

アフリカ西部ルート
例：カカオ豆（ガーナ）

オーストラリアルート①
例：小麦

オーストラリアルート②
例：粗糖

南米ルート①
例：大豆（ブラジル）

※上図はすべて船のルート

出典：農林水産省「海外から日本への主な農産物輸入ルート」（aff2023年2月号）をもとに作成

フード・マイレージの計算方法

$$\text{フード・マイレージ (t·km)} = \text{運ぶ量(t)} \times \text{運ぶ距離(km)}$$

次に、遠い場所から食料を運ぶということにも注目してみましょう。

食料を運ぶためには、飛行機や船、鉄道にトラックなどを動かすエネルギーが必要です。この時、石油や石炭、ガスなどのエネルギー源を使うと、二酸化炭素が発生します。

二酸化炭素は、地球温暖化に関わる温室効果ガスのひとつで、発生する量が増えるほど、環境にあたえる影響も大きくなります。重い物を遠くへ運ぶには、多くのエネルギーを使い、その分だけ二酸化炭素の発生量も増えます。

このように、食料の輸送が、環境におよぼす影響の大きさを表すものに、フード・マイレージがあります。

フード・マイレージの計算は、とてもかんたんで、運ぶ食料の重さ（トン）と運ぶ距離（キロメートル）をかけるだけです。結果が大きいほど、環境への影響も大きくなることを表しています。

輸送で発生する多くの二酸化炭素

　各国のフード・マイレージを、運ばれる品目別に比べてみましょう。

　食料自給率が低く、多くを輸入に頼る日本は、フード・マイレージも大きいことがよくわかります。

　このようにフード・マイレージは、かんたんでわかりやすい指標ですが、弱点もあります。ひとつは、食料の輸送だけに注目している点です。食料は、運ぶときだけではなく、つくるときから、捨てるときまで、多くのエネルギーを必要とします。環境への影響を正確に知るためには、こうしたすべての過程を含めて考える必要があります。

　また、同じ距離を運ぶ場合でも、方法によって、二酸化炭素の発生する量が大きくちがいます。飛行機よりも船を使うほうが、トラックよりも鉄道を使うほうが、発生する二酸化炭素は少なくなります。こうした、手段によるちがいは、フード・マイレージには表れません。近い場所からトラックで運ぶよりも、少し離れた場所から鉄道で運ぶ方が、環境への影響は小さくなるかもしれません。そうしたことも考えながら、比べることが必要です。

　このように、私たちが直接見ることのできない、食料と環境の関係を、見える化することが大切になってきています。

輸入食料のフード・マイレージ

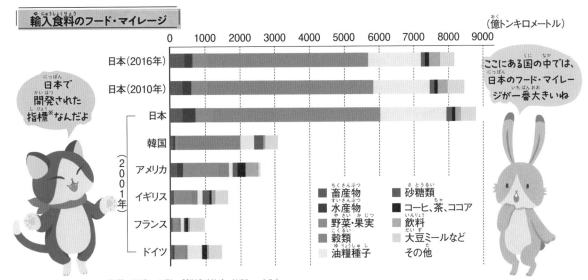

（億トンキロメートル）

日本で開発された指標※なんだよ

ここにある国の中では、日本のフード・マイレージが一番大きいね

凡例：畜産物／水産物／野菜・果実／穀類／油糧種子／砂糖類／コーヒ、茶、ココア／飲料／大豆ミールなど／その他

※イギリスのフードマイルズ運動を参考に、日本の農林水産省が開発した指標

出典：中田哲也「フード・マイレージ資料室」をもとに作成

カーボンフットプリントってなんだろう？

　フード・マイレージと似た指標に、カーボンフットプリントというものがあります。こちらは、食品の原材料を得るところから、消費して捨てたり、リサイクルするところまで、すべての過程で出される二酸化炭素の量を表します。フード・マイレージの弱点をおぎなう指標ですが、より複雑な計算や考え方が必要です。

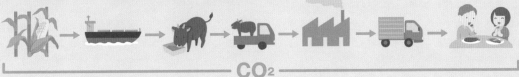

CO$_2$

07 食品の価値は誰が決めているの？

フードチェーン全体で公平な取り引きが求められている

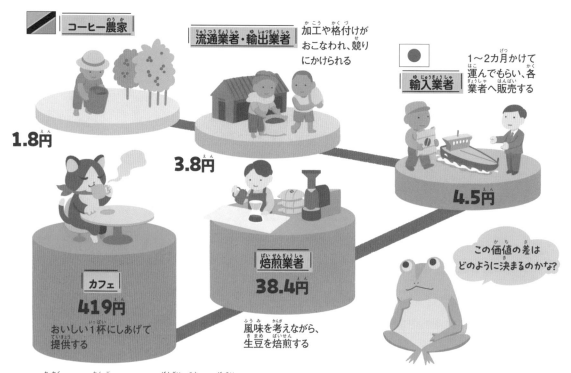

1杯のコーヒーに見る価値のつながり

コーヒー農家
1.8円

流通業者・輸出業者
加工や格付けがおこなわれ、競りにかけられる
3.8円

輸入業者
1〜2カ月かけて運んでもらい、各業者へ販売する
4.5円

カフェ
419円
おいしい1杯にしあげて提供する

焙煎業者
38.4円
風味を考えながら、生豆を焙煎する

この価値の差はどのように決まるのかな？

※価格は1998年度のデータで、現在と異なる場合がある。データのとられたタンザニアのルカニ村では、現在、フェアトレードが進められている

出典：辻村英之「おいしいコーヒーの経済論」太田出版（2009年）をもとに作成

　食品をとおして、世界の国や地域がつながっています。食卓に並んだ食品そのものだけではなく、それがつくられ、運ばれる中で使われたものも含めると、ひとつの食品が生み出す目に見えないつながりは、実にさまざまです。

　もうひとつ、こんなつながりにも目を向けてみてください。それは、価値のつながりです。

　食品は、生産者から出荷され、加工業者などを

へて流通する間に、その価格は少しずつ高くなっていきます。加工したり運んだりと手間がかかり、関わる人が増えれば、価格が高くなるのは当たり前のことです。

　ですがここにも、課題があります。食品の価格（価値）は、いつ、だれが、どのようにして決めるのでしょう。さらに、それは持続可能で公平なものといえるのでしょうか。

みんなに公平な取り引きのためのしくみ

みなさんは、フェアトレードラベルのついた食品や製品があることを知っていますか？

フェアトレードとは、公平・公正な貿易を意味する言葉です。基準を満たした公平な取り引きが証明された商品などに対し、このラベルがつけられています。

特に、開発途上国の商品は、安くて手ごろなものだと考えられがちです。私たち先進国が期待する安さを叶えるために、生産国では何が起こっているのでしょう。生産者に正当な賃金が支払われないことや、大量の農薬を使うなど、環境破壊をともなう無理な生産をつづけなくてはならない不公平が生まれています。フェアトレードは、これらを改善し、人も環境も、持続的な生産と取り引きができることをめざしたしくみです。

適正な価格で取り引きされる

適正な収入と技術が手に入る

質が良くなる

ラベルにたよらず独自の努力をおこなう企業も多いんだよ

私たちは、選ぶことで、この循環に参加できるよ

よい循環が生まれるんだね

環境をととのえられる

安定してつくれる

商品向け　国際フェアトレード認証ラベル　FAIRTRADE

団体向け　世界フェアトレード連盟 WFTO保証ラベル　WORLD FAIR TRADE ORGANIZATION GUARANTEED FAIR TRADE

※ラベルは一例

バナナは物価の優等生 !?

2022年6月に、バナナの値上げが話題になりました。バナナのおもな輸入相手である、フィリピンの駐日大使から日本へ、バナナの価格を上げるように要請されたのです。このようなことは、はじめての出来事でした。理由には、「今の価格を維持しつづけることは、バナナ農家にとって、非現実的で不公平だ」という強い言葉が使われました。

1950年代頃まで、大変貴重な食品であったバナナですが、近年では物価の優等生と呼ばれるほど、安定して安く手に入る食品となっています。スーパーに行けば、季節を問わず、山積みのバナナが並んでいることは、当たり前の光景です。この手軽で便利を叶えるために、遠く離れた国では、貧しさに悩まされる生産者がいるということを、私たちは振り返ってみる必要がありそうです。

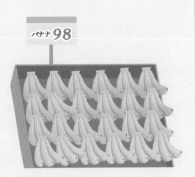

バナナ 98

エコロジカル・フットプリントってなんだろう?

ひとつの地球では足りない私たちの暮らし

エコロジカル・フットプリントの考え方

生産能力阻害地
建物や道路などがすでに設置された土地

二酸化炭素吸収地
排出される二酸化炭素を吸収する森林

漁場
水産物の生産に使われる海や河川など

森林
木材や紙などの生産に必要な土地

これらの土地をグローバルヘクタール(gha)という面積におきかえて、比べやすくしているよ

耕作地
食料や繊維、家畜の飼料などをつくる土地

牧草地
肉や乳製品などをつくるために家畜を養う土地

　私たちが生きていくうえで、欠かせない食品は、国や地域を、さまざまな形でつないでいることを見てきました。ここで、世界とのつながりから、もう一歩進んで、地球規模の視野でも考えてみましょう。それには、エコロジカル・フットプリントが役立ちます。

　エコロジカル・フットプリントは、私たちが消費する資源をつくり出したり、発生した二酸化炭素を吸収するために、どれほどの自然が必要か、面積で表したものです。人間の活動が、地球にどれほど負担をかけているのか、表しているともいえます。

　これには、食品づくりと関わりのある、耕作地や漁場、牧草地のほか、上に示す土地の面積が含まれています。一体、どれほどの面積が必要になるのでしょうか。

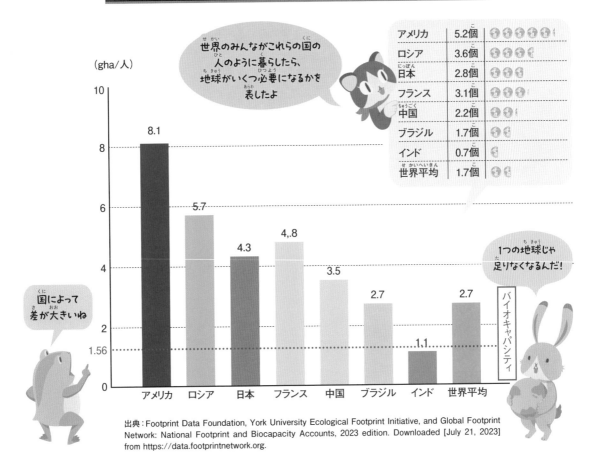

1人当たりのエコロジカル・フットプリント（2018年）

世界のみんながこれらの国の人のように暮らしたら、地球がいくつ必要になるかを表したよ

アメリカ	5.2個	
ロシア	3.6個	
日本	2.8個	
フランス	3.1個	
中国	2.2個	
ブラジル	1.7個	
インド	0.7個	
世界平均	1.7個	

国によって差が大きいね

1つの地球じゃ足りなくなるんだ！

（gha／人）

バイオキャパシティ

アメリカ 8.1 / ロシア 5.7 / 日本 4.3 / フランス 4,.8 / 中国 3.5 / ブラジル 2.7 / インド 1.1 / 世界平均 2.7

1.56

出典：Footprint Data Foundation, York University Ecological Footprint Initiative, and Global Footprint Network: National Footprint and Biocapacity Accounts, 2023 edition. Downloaded [July 21, 2023] from https://data.footprintnetwork.org.

　Global Footprint Network が公開しているデータをもとに、おもな国々の１人当たりのエコロジカル・フットプリントを、グラフに表しました。必要な面積は、先進国の人で大きく、開発途上国の人では小さい傾向にあります。どのような食品を多く食べているのか、エネルギー源には、何をどれくらい使っているのかなどが、表れた結果といえそうです。

　また、自然が資源をつくり出し、二酸化炭素などを吸収する能力を、面積（土地と水域）で表したものを、バイオキャパシティといいます。エコロジカル・フットプリントが、バイオキャパシティを超えてしまうと、地球の自然では、人の暮らしを支えきれ　なくなってしまいます。

　2018年のバイオキャパシティは、１人あたり、1.56グローバルヘクタール（gha）で、日本人１人あたりのエコロジカル・フットプリントは、4.3グローバルヘクタール（gha）でした。もしも世界中の人々が、日本人と同じ生活をした場合、地球が2.8個も必要になる計算です。

　みんなが公平に、豊かな生活を送ることは大切ですが、それだけでは、持続可能な未来をつくることはできそうにありません。まずは、身近な食品をとおして、豊かな生活とはどのようなものか、見直していく必要があります。

食品ロスとSDGsの関係は？

あらゆるゴールとつながっている

SDGsは、2015年の国連サミットで採択された「持続可能な開発のための2030アジェンダ」に書かれた国際目標だよ

1 貧困をなくそう

2 飢餓をゼロに

3 すべての人に健康と福祉を

ゴール1 貧困をなくそう

あらゆる場所、あらゆる形の貧困に苦しむ人をなくすことがめざされている

7 エネルギーをみんなにそしてクリーンに

8 働きがいも経済成長も

9 産業と技術革新の基盤をつくろう

ゴール13 気候変動に具体的な対策を

地球温暖化は食品ロスとも関係している。捨てられた食品を焼却するときも排出されるCO_2を減らすことが求められている

13 気候変動に具体的な対策を

14 海の豊かさを守ろう

15 陸の豊かさも守ろう

ゴール14 海の豊かさを守ろう

海洋と海洋資源を保全し、持続可能な形で利用することが求められている。海や川のプラスチックごみ問題も、大きな課題のひとつ

ゴール15 陸の豊かさも守ろう

生態系を守り、持続可能な方法で土地を利用すること、砂漠化など、土地の劣化につながる利用をおこなわないことが求められている

日本では、ほとんどの人がお腹いっぱいご飯を食べ、お菓子や果物も、ほしいときに手に入ります。それが当たり前になると、食品がつくられ、手元にやってくるまでの背景に目を向けることを忘れがちです。

3章では、食卓に並ぶ食品の背景を、世界や地球規模でとらえる視点を紹介しました。現在世界では、2030年までに、持続可能でよりよい世界をめざす国際目標として、持続可能な開発目標（SDGs：Sustainable Development Goals）を推進しています。

持続可能というのは、「何かをしつづけられる」という意味なんだって

ゴール2　飢餓をゼロに

すべての人の飢餓をなくし、どんなときも安全で、栄養のある食品を、十分に手に入れることができるようにする。また、持続可能な農業をおこなうことが求められている

ゴール10　人や国の不平等をなくそう

各国内やさまざまな国の間の不平等をなくすことが求められている。07で紹介したフェアトレードとも関わりが深い

どのゴールも食品ロスの問題と、どこかでつながっていそうだね

ゴール12　つくる責任　つかう責任

持続可能な生産と消費をおこなうことが求められている。売る側も買う側も、食品ロスにつながらないか、考えて行動する必要がある

出典：国際連合 "Sustainable Development Goals（持続可能な開発目標）"

ゴール17　パートナーシップで目標を達成しよう

これらすべてのゴールを達成するために、あらゆるパートナーシップが必要

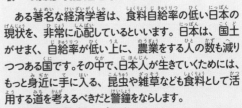

食の持続可能性を求めるには

　ある著名な経済学者は、食料自給率の低い日本の現状を、非常に心配しているといいます。日本は、国土がせまく、自給率が低い上に、農業をする人の数も減りつつある国です。その中で、日本人が生きていくためには、もっと身近に手に入る、昆虫や雑草なども食料として活用する道を考えるべきだと警鐘をならします。

　そのような食生活を、受け入れることはできるでしょうか？
　日本に暮らす私たちにとっても、食の持続可能性は、想像以上に深刻な問題かもしれません。

　SDGsでは、17のゴールと、169のターゲットを設定し、地球上の誰1人取り残さないことを約束するとしています。
　SDGsと、食品ロスとのつながりを見てみましょう。2つ目のゴール、飢餓をゼロになどは、直接関わりのあるゴールとわかりますが、読み進めてくださったみなさんには、食品ロスとゴールのつながりが、他にもたくさん見えてくるはずです。達成をめざす2030年は、もう目の前です。みなさんも、どのような行動を起こせるか考えてみませんか？

21世紀は水の世紀

世界で水の奪い合いが起きている

水（淡水）の権利が争いの背景になっていることも多いんだ

飲んだり食べたりすることをとおして、人は1日に、およそ2.5リットルの水を摂取する必要があります。これに対して、1日に食べる食品をつくるために使われる水の量は、約2,500リットル。私たちは知らないうちに、直接口にする量の1,000倍もの水を消費していることになるのです。

「20世紀が石油をめぐる争いの世紀ならば、21世紀は水をめぐる争いの時代になるだろう」※といった人がいます。日本では想像しがたいことですが、世界では貴重な淡水をめぐって、すでに、奪い合いの争いが起こっている場所もあるのです。

また、今は豊富な水があることを強みに、たくさんの農作物をつくり、輸出をおこなっている場所でも、水の使い過ぎが、問題視されはじめたところがあります。特に、地下水をくみ上げておこなう灌漑農業では、水の使い過ぎが起こりやすく、水が枯れてしまうと心配される地域が、いくつも出てきています。こうした、過剰な水のくみ上げによってつくられた農作物で、世界で、少なくとも6億人近くの人が、養われているともいわれています。

土地や水は、食品をとおして、世界をつないでやり取りされています。世界の水不足が進むと、あらゆる食品をつくることが難しくなり、価格もどんどん高くなっていきます。大きな影響を受けるのは、貧しい国の人々や、十分な食料の生産ができず、他の国からの輸入に頼って暮らす人々です。

お腹がすくということは、これまでも多くの争いや戦争の火種となってきました。これは、とても深刻な問題なのです。「今、ここにない土地や水」に、私たちの暮らしが支えられているということを、大きな課題として、とらえていく必要があります。それも、今すぐにです。

※元世界銀行副総裁イスマイル・セラゲルディン氏の言葉

4章

食品ロスを減らすにはどうしたらいいの？

みんなで協力して食品ロスを減らそう

01

さまざまな場所で取り組みが進められている

一人ひとりができること

少し意識するだけで、減らせる食品ロスもありそうだね

残さずに調理して食べる

つくり手ができること

つくり過ぎによる廃棄を減らし、規格外の食品も食べてもらえるように工夫する

売り手ができること

仕入れ過ぎや売れ残りによる廃棄を出さない

まだ食べられるのに、捨てられてしまう食品ロス。家庭や学校などの身近な場所から、遠く離れた田畑や牧場、さらには、海を越えた世界各地に目を向けて、その背景を見てきました。

いつでも手軽に、おいしい食品を手に入れることができる私たちほど、食品ができるまでにたどってきた場所や、関わってきた人を想像し、思いをめぐらせることが必要です。大切につくられたもの、限られた資源をつくして届けられたものを、大切に「いただく」ことを心がけていきたいですね。

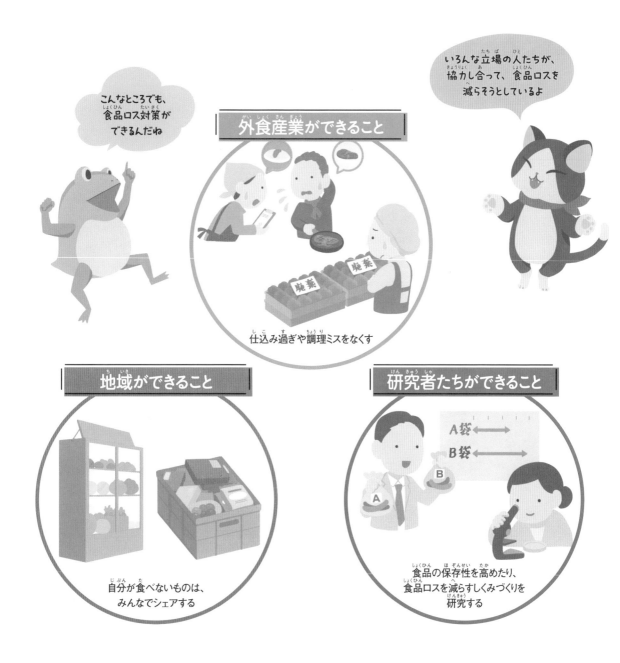

こんなところでも、食品ロス対策ができるんだね

いろんな立場の人たちが、協力し合って、食品ロスを減らそうとしているよ

外食産業ができること

仕込み過ぎや調理ミスをなくす

地域ができること

自分が食べないものは、みんなでシェアする

研究者たちができること

食品の保存性を高めたり、食品ロスを減らすしくみづくりを研究する

　さて、この食品ロスが、見過ごせない問題だと気づきはじめた社会では、食品ロスを減らすためのさまざまな工夫や取り組みがはじまっています。どこで、どのような取り組みや工夫がおこなわれているのでしょうか。4章では、その一部を見ていきましょう。

02 流通のルールを見直して食品ロスを減らそう

しくみから変えていく努力がおこなわれている

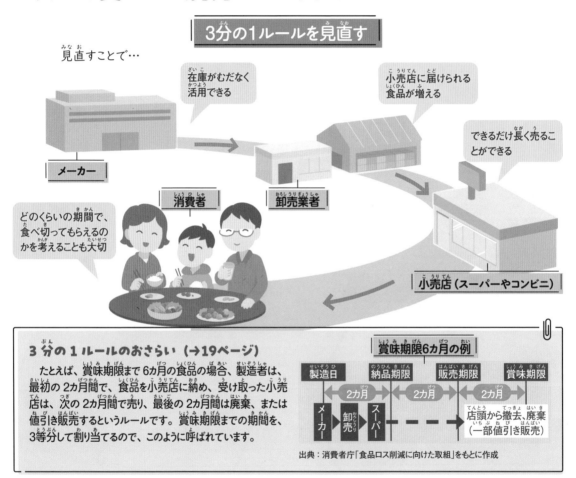

3分の1ルールを見直す

見直すことで…

在庫がむだなく活用できる

小売店に届けられる食品が増える

できるだけ長く売ることができる

メーカー

消費者　　卸売業者

どのくらいの期間で、食べ切ってもらえるのかを考えることも大切

小売店 (スーパーやコンビニ)

3分の1ルールのおさらい 〈→19ページ〉

　たとえば、賞味期限まで6カ月の食品の場合、製造者は、最初の2カ月間で、食品を小売店に納め、受け取った小売店は、次の2カ月間で売り、最後の2カ月間は廃棄、または値引き販売するというルールです。賞味期限までの期間を、3等分して割り当てるので、このように呼ばれています。

賞味期限6カ月の例

製造日	納品期限	販売期限	賞味期限
メーカー → 卸売 → スーパー			店頭から撤去、廃棄（一部値引き販売）
2カ月	2カ月	2カ月	

出典：消費者庁「食品ロス削減に向けた取組」をもとに作成

　食品がおいしく食べられる期間を十分に残して販売し、消費者が手に取れるようにするために、3分の1ルールというものがあります。これは、食品メーカーや小売店が守ってきたルールで、賞味期限までの期間が、比較的長い食品に使われています。

　ところが、ルールを守ると、つくったあと、届けることが遅れた食品や、まだおいしく食べられる期間を残した食品まで、捨てられてしまうことがあります。

　菓子などの多くも、このルールで取り扱われています。菓子であれば、買ってから2週間あれば食べ切る人が多く、賞味期限まで長い期間が残っている必要はありません。

　そこで、製造日から賞味期限まで、半分の期間は小売店に届けることができたり、小売店で販売できる期間を長くするなど、このルールをゆるめる取り組みが、はじめられています。

賞味期限の表示を見直す

年月表示によって、次の手間も省けることが期待されている
①倉庫内での在庫管理やピッキング
（メーカーや卸売業者の動き）
②店舗での期限確認や陳列
（スーパーやコンビニの動き）

またこれまで、「〇年〇月〇日」と表示されてきた賞味期限を、「〇年〇月」の表示に変更することでも、食品ロスを減らすことに貢献できます。

食品の流通には、同じ食品の場合、先に仕入れたものの賞味期限よりも、期限の早いものを、あとから仕入れない、先入れ先出しルールと呼ばれるものがあります。賞味期限が「年月日」で示されていると、1日のちがいでも仕入れてもらえず、販売の機会を失う食品が出てしまいます。

「年月」表示に変えることで、数日のちがいを気にすることなく仕入れ、販売がおこなえるようになり、食品ロスを減らすことができるのです。

もちろん、安全でおいしく食べられることが大前提のため、賞味期限が長い食品に限って、年月表示への変更が進められています。

93

03 包装や加工方法を工夫して食品ロスを減らそう

長持ちさせたり、むだなく加工するメーカーの工夫

容器や包装で長持ちさせる

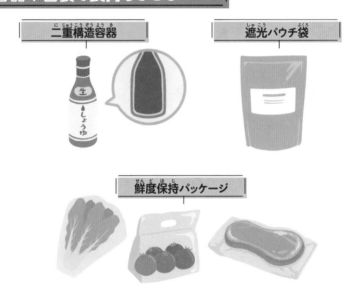

二重構造容器

遮光パウチ袋

鮮度保持パッケージ

食品ロスを減らすために、食品の容器や包装に工夫をおこなう食品メーカーが増えています。

一度に使い切ることのない油や調味料などは、空気や光にさらされると劣化し、香りや色が損なわれやすい特徴があります。

そこで、容器を二重構造にし、中身が空気に触れにくくする工夫で、賞味期限を長くする努力がおこなわれています。また野菜などでは、みずみずしく、パリッとした食感を長持ちさせる包装材なども登場し、活用されています。

捨てていた部分を上手に加工する

食品メーカーでは、食品の加工の過程で出る、食べられるのに捨てられてしまう可食部端材を有効に活用し、おいしく食べる、さまざまな工夫がおこなわれています。

パンの耳もおいしいお菓子になるんだねアップサイクルともいうよ

サンドイッチをつくるときに、切り落として捨てていたパンの耳を加工し、菓子にするなど、ほかの商品として販売する取り組みがある。また、こうした端材を自社で加工するだけではなく、必要とするだれかに届けて活用してもらうしくみも登場している

骨までおいしいサバ

野菜や魚などを加工するときに出るかたいところや骨などは、除去して捨てられ、食品ロスとなる場合がある。こうした部分に、栄養が豊富に含まれていることもあり、おいしく加工した商品がつくられている

必要な分を必要なときに届ける

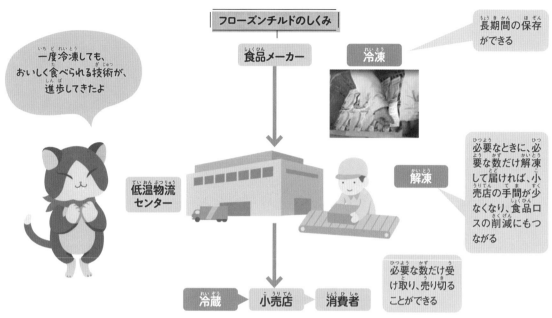

フローズンチルドのしくみ

一度冷凍しても、おいしく食べられる技術が、進歩してきたよ

食品メーカー

冷凍

長期間の保存ができる

低温物流センター

解凍

必要なときに、必要な数だけ解凍して届ければ、小売店の手間が少なくなり、食品ロスの削減にもつながる

冷蔵 → 小売店 → 消費者

必要な数だけ受け取り、売り切ることができる

出典：国分グループ本社株式会社「フローズンチルド対応」(2022)をもとに作成

食品のアップサイクルってなんだろう？

捨てられていたものとは思えないね！

　パンの耳を菓子に変えるように、捨てられていたものが、より価値の高いあたらしい食品や物に生まれ変わることを、アップサイクルと呼びます。似た言葉に、リサイクルがありますが、それとは少し意味がちがいます。

　リサイクルは、古紙からパルプを取り出し、あらたにトイレットペーパーをつくるというように、原料や材料にまで戻して利用することを表します。これに対して、アップサイクルは、原料や材料に戻すことなく、そのものを活かした利用がおこなわれ、さらに価値の高いものになることをいいます。

　食品では、野菜や果物のへたを加工して、スナック菓子にすることなどをはじめ、コーヒーかすや茶殻までもが、アップサイクルされています。

　市場や物流センターなどでは、生産者から受け取った食品を、あらかじめ小分けにし、小売店が必要な量を、スムーズに届ける工夫をおこなっています。特に、野菜や果物などの生鮮食品は、いたみやすく、売れ残りは短期間で食品ロスになってしまいます。必要なところに、必要な分だけ届けることは、基本的ですが、有効な食品ロス対策になります。

　また、食品の保存技術も、日々進歩しています。

　食品は、冷凍すると長期間保存できるようになりますが、風味や食感が悪くなることが弱点でした。技術の進歩でこれを克服し、最近では、冷凍食品も、生のまま食べるときと同じくらい、おいしく食べられるようになってきました。物流センターや倉庫では、食品を冷凍で保存し、小売店が必要としたときに、必要な分だけ解凍して届ける、フローズンチルドというしくみも取り入れられています。

04 消費者も楽しめる工夫で完売をめざそう

「もったいない」を意識してもらう小売店の工夫

期限切れを出さない

TIME SALE

てまえどりしよう

食べものに、
もったいないを、
もういちど。
NO-FOODLOSS PROJECT

出典:農林水産省「食品ロス削減国民運動のロゴマーク(ろすのん)」

農林水産省からは、てまえどりを呼びかけるポップやポスター、食品ロス削減国民運動のロゴマーク(ろすのん)が提供されている

賞味期限内なら、
どれもおいしく
食べられるよ

期限の近いものほど、
手前に並んでいるんだね

消費期限が近い
ものを値引き販売して、
食品ロスを減らす工夫も
しているんだ

食品ロス対策は、フードチェーンのあらゆる場面でおこなわれています。消費者が、直接食品を手に取る、スーパーやコンビニなどの小売店では、どのような工夫がおこなわれているのでしょうか?

多くの小売店で、てまえどりの呼びかけがおこなわれています。棚に並ぶ食品を、手前から順に手に取ってもらうための呼びかけです。食品は、期限の順に並べられる場合が多く、手前から順番に手に取ってもらうことで、期限切れになる食品が減り、食品ロス対策となります。

特に賞味期限は、安全でおいしく食べられる期限です (→ 17ページ)。期間内に食べてしまうものであれば、数日のちがいは気にせず選んでもらう、小さな呼びかけが大きな対策につながります。

また、期限の近い食品を値引きして売り切る努力が、スーパーやコンビニで広がりを見せています。さらに、3分の1ルールをゆるめ、届けるのが遅れた食品を受け入れて販売したり、販売期限を延長させることも、小売店の努力で進められています (→ 92ページ)。

楽しく買ってもらう

イベントで食品ロス対策

賞味期限が間近な食品や、納品期限の切れた食品、在庫の増え過ぎてしまった食品などを、一挙に集めた売りつくしセールは、よい品が安く手に入る、消費者にもうれしいチャンスです。イベントととしての人気も高く、長年つづけておこなう百貨店も出てきています。

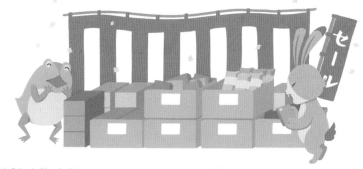

大手百貨店が主催するセールイベントでは、3000以上の食品を取り扱い、毎日およそ5000人が訪れるなど大盛況

楽しみながら食品ロス対策

消費期限や賞味期限がせまった食品を購入することが、楽しくなるしかけも考えられています。

株式会社アッシェが提供する「もぐもぐチャレンジ」は、期限のせまった食品に貼られたシールを集めると、ガチャガチャくじや寄付に参加できるしくみです。いつもどおり買い物をして、おいしく食べたあとも、楽しみがつづく、消費者にもうれしいしかけです。このしくみを取り入れる、スーパーなどの小売店が、増えてきています。

出典：株式会社アッシェ「もぐもぐチャレンジ」

日本では、季節やイベントに関わる食品が、食べられることなく、たくさん捨てられています。たとえば、節分の日の恵方巻、土用丑の日のうなぎやクリスマスケーキなどです。

たった1日のイベントのために、大量に用意された食品の売れ残りは、ほとんどが廃棄されています。多くの消費者の期待にこたえるとともに、たくさん並べることで、イベントを盛り上げる効果もあり、必要以上につくられ、販売されてきた背景があります。

そこで、多くの小売店が、これら季節商品の予約販売をおこなったり、前の年にどれくらい売れたのかなどを見直すことで、無理のない製造と販売をおこなう対策をはじめています。また、手に取りやすく食べやすいサイズにしたり、食べ残しが出にくい工夫もおこなわれています。

ここで紹介したのは、ほんの一部の取り組みですが、多くの小売店が工夫をして、食品ロスの削減に貢献しようとしています。身近なスーパーやコンビニでの取り組みも、ぜひ調べてみてください。

05 残さずにおいしく食べてもらおう

来客と協力して廃棄を減らす飲食店の工夫

準備や調理に工夫をこらす

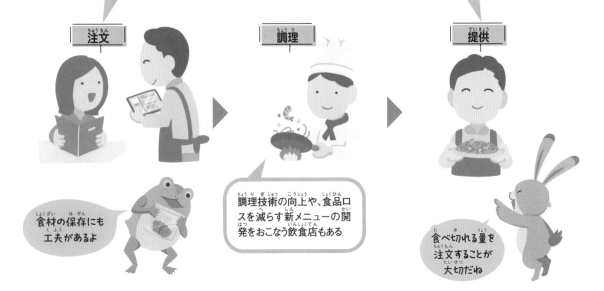

過去の情報と照らし合わせ、必要な食材の種類と量を予測して調節する。予測には、天気や人の流れなどが、複雑に関わるため、最近では、AI(人工知能)を活用した予測サービスなども導入されはじめている

ハーフサイズや小盛りなど、少ない量を選べるようにすることで、食べきれない注文を減らす工夫も増えている

注文　調理　提供

食材の保存にも工夫があるよ

調理技術の向上や、食品ロスを減らす新メニューの開発をおこなう飲食店もある

食べ切れる量を注文することが大切だね

レストランやカフェなどの飲食店では、たくさんのメニューの中から、来客が希望するものを、できるだけ早く提供することが求められています。あらかじめ食材を準備し、すばやく調理して提供するという流れのさまざまな場面で、食品ロスが生まれています。そこでは、どのような対策がおこなわれているのでしょうか。

飲食店は、来客の数や注文されるメニューの予測を、なるべく正確におこなうように努力しています。準備したにも関わらず、来客が少ない場合や、注文されなかった場合に、食材ごとむだになることを防ぐためです。また、食材を小分けにして保存性を高める工夫や、食べられる部分をあまさず使いきる調理の技術の向上も、食品ロスの削減に貢献しています。

来客と一緒におこなう取り組み

3010運動で食べ残しをなくす

パーティーや宴会などでは、たくさんの料理が提供されるにも関わらず、おしゃべりが優先され、食べ残しが大量に出ることがあります。料理を楽しむ時間をつくることで、もったいないを防ぐのが3010運動です。

適量を注文して、乾杯したあとの30分と、終了前の10分は、席を立たず、料理を楽しむ運動です。

味わいタイム　　楽しみタイム　　食べきりタイム

パーティーはじめの30分　　パーティーなかば　　パーティーおわりの　10分

ドギーバッグで食べ残しを持ち帰る

食べ残しを持ち帰るドギーバッグの利用も有効な対策ですが、持ち帰ったあとは、すぐに食べきることや、再加熱するなど、食中毒の予防に注意しなければなりません。

さらに、より積極的な食品ロス対策をおこなう飲食店も出てきています。

漁港で水揚げされた水産物や、農作物の中には、市場に出すことができず、捨てられてしまうものがあります。そうした食材をおいしく調理し、提供することで、食品ロスを減らそうとする工夫がおこなわれています。

そして、飲食店で、来客ができる食品ロス対策は、なんといっても食べ切ることです。食べ切れない量を注文したり、おしゃべりに夢中のあまり、食べることをおろそかにしてしまうということはありませんか？飲食店の側も、こうした食べ残しを減らすため、量が選べるメニューをつくったり、提供するタイミングを調節するなどの工夫をおこなっています。来客は、それらを自分に合わせて選ぶことで、食品ロス対策に貢献できます。

捨てずにみんなで活用しよう

つながりの輪が広がるさまざまなしくみ

フードシェアリングのしくみ

インターネットで通信販売をおこなったり、申し込みをして、直接お店へ取りに行く方法が多いよ

出品

申し込み・支払い

期限が近いものも多いから、条件をよく見て利用したいね

フードシェアリングは、もったいない食品や食材の売りたい人と買いたい人をつなぐしくみ

取りに行く

　食べられることなく捨てられていた食品を、広く必要な人に届けるしくみも、つくられています。捨てるしかなかった食品が、だれかにとって役立つものに変われば、お互いにうれしい食品ロス対策ができそうです。

　フードシェアリングは、そのしくみのひとつです。シェアとは、だれかと何かを共有することです。シェアハウスやシェアサイクル、シェア傘などなど、近年、さまざまなものをシェアするしくみが登場しています。食品も、例外ではありません。

　フードシェアリングは、食品メーカーや飲食店で出る、あまった食品や、期限間近の食品などを集め、インターネットを通じて、必要な人に販売する取り組みです。メーカーや飲食店と消費者をつなぐものと、メーカーどうしをつなぐものがあります。捨てるのはもったいないという思いと、ちょうどそれが欲しかったという思いをつなぎ、お互いが得をするしくみです。

みんなで分け合うしくみ

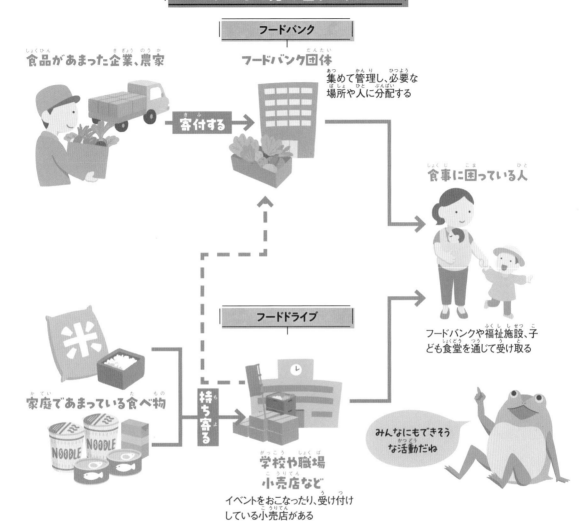

フードバンク

食品があまった企業、農家

フードバンク団体

集めて管理し、必要な場所や人に分配する

寄付する

食事に困っている人

フードバンクや福祉施設、子ども食堂を通じて受け取る

家庭であまっている食べ物

持ち寄る

フードドライブ

学校や職場
小売店など

イベントをおこなったり、受け付けしている小売店がある

みんなにもできそうな活動だね

食品を、福祉施設などの団体や必要とする人たちに、無償で届けるボランティア活動もあります。

まだ食べられるにも関わらず、賞味期限が近づいているもの、包装の破損などのために販売できない食品や、行き場のない農作物を、食品メーカーや農家からの寄付により集め、必要な人へ提供する団体や活動を、フードバンクといいます。災害に備えて、国が備蓄している食品なども、定期的に、フードバンクへ提供するしくみが整えられつつあります。

また、フードドライブは、一般の家庭などで出る、まだ食べられるにも関わらず、いらなくなった食品を集め、フードバンクや福祉施設に届ける活動です。スーパーマーケットや学校、職場などを拠点に、大小さまざまな規模で、声をかけ合いながらおこなわれています。

アメリカでは、50年以上の歴史がある活動ですが、日本ではまだはじまったばかりです。

これらは、食品をとおして人と人をつなぐあたらしいしくみで、これからの発展に期待が高まります。フードドライブは、みなさんも参加できる機会があるかもしれません。ぜひ、情報を集めてみてください。

みんなのアイデアで大切に食べるしくみをつくろう

さまざまなコミュニティのあたらしい取り組み

「おそなえ」をみんなのおやつにする

認定NPO法人 **おてらおやつクラブ**

おてらおやつクラブ事務局が、賛同するお寺と支援団体をマッチングしている。全国で2000近い寺院が賛同している（2023年10月現在）

おそなえ

檀信徒・地域の人・応援者

全国のお寺

マッチング

全国の支援団体

保護者・子どもたち

協力の輪がどんどん広がっているめずらしい取り組みだね

出典：認定NPO法人おてらおやつクラブ

食品の「もったいない」を減らす活動は、いろいろな場所で、さまざまな工夫をこらしながらおこなわれています。ここでは、アイデアの光る活動や、食品ロス対策につながりそうなあたらしいしくみを紹介します。

2018年に、グッドデザイン大賞を受賞した「おてらおやつクラブ」。お寺への「おそなえ」（食品や日用品など）を、仏さまからの「おさがり」としていただき、子どもたちへ「おすそわけ」をする活動です。貧困問題の解決に向けて、お寺ではじめられためずらしい取り組みですが、食品ロスを減らすことにも貢献し、たくさんの人によろこばれています。その活動の輪は、全国に広がりを見せています。

夜だけ開くパン屋さん

パン屋さんで、売れ残ってしまいそうなパンを集め、夜の街角で販売する夜のパン屋さん。つくり手にとっては、心をこめてつくったパンが、むだなく販売でき、買う人にとっては、全国のさまざまなお店のパンが、一度に選べるうれしい場所になる、そんなあたらしい取り組みです。

全国のパン屋さんが参加する。どのパン屋さんのパンが並ぶのかは、その日のお楽しみ

出典：ビッグイシュー日本 夜のパン屋さん

町と企業が協力する取り組み

奈良県生駒市では、企業と協力し、見た目や形の不揃いな野菜に、顔シールを貼りつけて、キャラクターをつくるワークショップ「規格外野菜を楽しく救おう」がおこなわれ、さまざまなかわいいキャラベジたちが生まれました。キャラベジは、規格外野菜の不ぞろいな見た目を価値に変えるしかけです。個性を持ったかわいい野菜に愛着を感じ、手に取って、むだなく使ってもらうことをめざしています。

生駒市ではまた、企業や料理研究家たちと協力して、食材の正しい切り方を教わり、過剰除去を防ぐ学びの企画も実施しています。

このように、町や企業、専門家が協力して、多くの人を巻き込む食品ロス対策が、各地でおこなわれています。

食品ロスを減らす挑戦は、さまざまな場所と視点ではじめられています。ここで紹介した活動は、そのごく一部です。みなさんも、身近な活動を探ってみるとともに、あたらしいアイデアを出し合ってみてください。

キャラベジは、株式会社電通CXCCのプロジェクトチームが発案した、規格外野菜の個性を活かし、シールを使ってかわいいキャラクターに変える企画

規格外野菜のフードチェーンづくりも課題？

規格外野菜が、商品として流通するためには、見た目のきれいなものに慣れている消費者や、それにこたえようとする生産者など、さまざまな立場の人の意識を変えることも大切です。不ぞろいの野菜は、包装や調理に一手間がかかるのは事実です。ですが、一つひとつの野菜の個性を面白がって手に取る人が増えれば、もっと当たり前に、規格外野菜が店頭に並ぶ機会も増えていくことでしょう。フードチェーン全体で、規格外野菜の価値を見直す必要があります。

08 食品をリサイクルして最後まで活用しよう

捨てられる食品を飼料や肥料などに変えて利用する

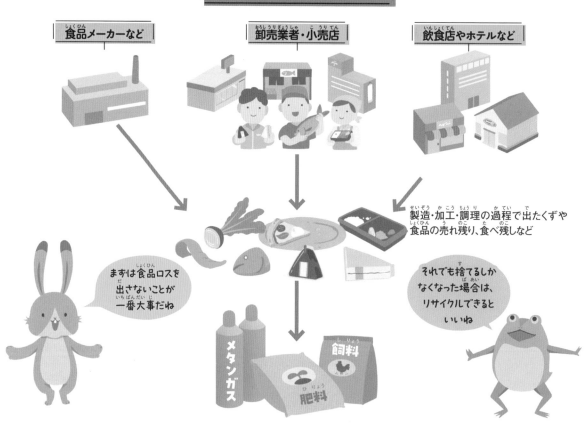

食品リサイクルのしくみ

食品メーカーなど

卸売業者・小売店

飲食店やホテルなど

製造・加工・調理の過程で出たくずや食品の売れ残り、食べ残しなど

まずは食品ロスを出さないことが一番大事だね

それでも捨てるしかなくなった場合は、リサイクルできるといいね

メタンガス

飼料

肥料

食品ロス対策をしても、しかたなく捨てることになってしまった食品は、人の食べ物ではなく、別の物に変えて、むだなく利用しようとするリサイクルがおこなわれています。

日本には、リサイクルを進めるために、食品リサイクル法という法律があります。食品を扱うさまざまな立場ごとに、リサイクルの目標が決められ、それに向かって努力することが求められています。

リサイクルの方法にはいくつかありますが、まずは物から物に変えるリサイクルが優先されます。特に、食品に含まれる栄養まで有効活用できる、家畜のエサにするリサイクル（飼料化）が第一に考えられています。次に、農地で使う肥料にするリサイクル（肥料化）がそれにつづきます。最近では、キノコを育てるときの菌床として、利用する動きも出てきています。さらに、有機物を分解する微生物の力で、食品からメタンガスを取り出し（メタン化）、エネルギーとしてリサイクルする方法などもあります。

食品のリサイクル一覧

業種	食品廃棄物の種類	分別のレベル	リサイクル方法				よいところ	残念なところ
食品製造	●大豆かす・米ぬか	かんたん↑（飼料化）	飼料化	肥料化（堆肥化）	メタン化	飼料化	●エコフィードを利用してくれる農家が増えている	●安全な飼料にするための手間がかかる
	●パン・菓子くず							
	●おからなど							
	●製造の残りかす							
	●返品・過剰生産分					肥料化	●費用や技術の面でもはじめやすい	●つくられた肥料が安く、使ってくれるところも少ない
食品卸・小売	●調理の残りかす（店舗）							
	●売れ残り（加工食品）							
	● 〃（弁当など）							
外食	●調理くず（店舗）					メタン化	●分別があらくても使える	●費用がかかり、副産物の利用方法を考える必要がある
	●食べ残し（店舗）							
家庭	●調理くず	難しい↓						
	●食べ残し							

出典：農林水産省「食品ロス及びリサイクルをめぐる情勢」をもとに加工して作成

リサイクルに使うことができなかったときは、焼却して処分するけど、その場合にも熱源として（熱回収）、なるべく有効に使うことが求められているよ

リサイクルにも、よいところと残念なところがあるんだね

　食品の製造段階で出る、食べられる廃棄物は、むらがなくまとまった量が得られ、分別もしやすいため、家畜の飼料として活用しやすい特徴があります。反対に、レストランなどの飲食店から出る食べ残しなどには、さまざまな食品が含まれると同時に、途中で有害な物質が混ざり込む可能性もあります。

こうしたものには、メタン化などのリサイクルが選ばれます。
　また、こうしてリサイクルできれば、それでよいというわけではありません。リサイクルにかかる費用が安く、取り組みやすいものであること、また、リサイクル飼料（エコフィード）や肥料が安定してつくられ、使ってもらえるしくみを整えることも必要です。

09 世界にはどんな食品ロス対策があるの？

国や団体、個人が主体のさまざまな取り組みがある

世界中で、工夫をこらした取り組みがおこなわれているんだね

フランス

❶行政が、小売店などについて、食品ロス対策ができている度合いを3段階で評価。その結果は、PRに使うことができる

❷たまごケースの中で、たまごが割れてしまったとき、ケースごと廃棄される場合があった。割れていない残りのたまごを、1個ずつ販売できるスペースの設置などが試されている

イギリス

❶地域住民の間で、廃棄予定の食品がシェアできるアプリ※1が運用されている。廃棄する予定の食品を撮影した写真と、説明書きをアプリに投稿。ほしい人とメッセージのやり取りをし、場所を決めて受け渡しをおこなう。地域の人々が、食品のシェアをとおし、お互いにコミュニケーションをとることも楽しんでいる

❷飲食店などに向けて、食品ロス対策のテクニックなどを紹介するウェブサイトを開設※2。72％もの食品ロス削減を成功させた店もある

※1 イギリス発のアプリOlioは、食品ロス対策からはじまり、現在は、さまざまな日用品を人々がシェアするしくみへと発展している

※2 NGO団体 WRAP（Waste & Resources Action Programme）が運営するウェブサイト

　日本に先がけて、世界では、さまざまな食品ロス対策がおこなわれてきました。たとえば近年、耳にするようになったフードバンクの取り組み（→101ページ）も、アメリカなどでは、50年以上前からおこなわれてきた歴史があります。現在、世界各地では、どのような対策がおこなわれているのでしょうか。その一部を紹介していきます。

　努力と工夫、そして少しおもしろいアイデアの中には、見習ったり、まねできるところがあるかも知れません。

ドイツ

❶いたみやすく、廃棄の多い乳製品や肉類、パンなどについて、人工知能を活用し、生産の効率化や正確な消費量を予測。つくり過ぎによる廃棄を減らす試みがおこなわれている※4

❷使われなくなった電車やバスなどを使い、子どもたちへ調理実習をおこなうなど、食の大切さを伝えるため、工夫をこらしたプログラムがおこなわれている※5

※4 フラウンホーファー研究機構の鋳造・複合・加工技術研究所IGCV による、REIF（Resource-Efficient, Economic and Intelligent Foodchain）プロジェクト

※5 フードバンク "Berliner Tafel e.V." の取り組み

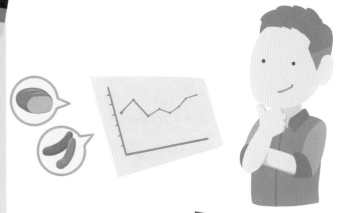

アメリカ

学校給食で出される食品のうち、食べきれないものを他の人とシェアするシェアテーブルの取り組みがおこなわれている。食事をバランスよくとることも大切だけれど、どうしても残してしまう食品を捨てずに活用できる取り組みといえる

オーストラリア

国内最大のフードバンク※3が、家庭での食品ロスを減らすため、食品に貼るテープを発明。「Use up（使い切って!）」「Eat me up（食べて!）」「Pick me（手にとって!）」「Cook me（料理して!）」などのメッセージが書かれている。冷蔵庫や台所で、これらの言葉が目につくことで、むだな買い足しなどが減る効果がある

出典：OZHARVEST

※3 2004年設立のOzHarvest。食品ロスに関わるさまざまな活動をおこなっている

EAT
ME UP

私たちも遅れをとっていられないよ

やってみたくなるアイデアもあるね

107

研究者が挑む食品ロス対策

ちがった視点で取り組まれるふたつの研究

　食品ロスを減らすために、さまざまな視点とアプローチによる研究も進められています。

　たとえば、2章の05で紹介した「ゲノム編集」の技術を使って、野菜や果実の日持ちを伸ばす研究がおこなわれています。筑波大学の江面浩博士たちは、実際に、トマトの日持ちを伸ばすことに成功しています。これには、ふたつのよいところがあります。ひとつ目は、野菜や果物を完熟で収穫したあとも、甘味ややわらかさが増して、よりおいしくなるまで保管できること。ふたつ目は、流通と消費の間で、廃棄する量を減らすことができる点です。トマトは、日持ちが短いために、出荷後から消費までの間に、3割から4割も廃棄されているといわれています。江面さんは、「この研究と技術をうまく活用すれば、生産量はそのままでも、廃棄を減らし、食べられる量を増やすことができるようになります」と話します。

　東京農業大学の野々村真希博士は、食品ロスを生み出す「消費者の行動」に注目し、その背景に潜んでいるものを調べました。誰かにとって大切な食品を、他の誰かは捨ててもよいと考えることがあります。また、食べきるように心がける食品も、人それぞれにちがいがあります。こうしたちがいには、一人ひとりの経験や知識、記憶が大きく関わっているといいます。野々村さんは、心に残るあたらしい気づきや学びが、食品ロスを生む行動と意識を変える鍵になると考えています。そして、どのような機会に、どのような気づきと学びを提供するのが効果的か、さまざまな場面で検討を重ねています。食品ロス対策に、いち早く着目して研究をはじめた野々村さんは、「食品ロスは、地球規模の課題と結びついているとともに、私たちの日常生活とも結びついています。問題に感じたなら、とにかく行動に移してほしいです」と強調します。

　食品ロスを減らすための研究は、この他にもさまざまな視点から進められています。

5章

食品ロスを減らすためにできること

01 私たちにできることは なんだろう？

身近な「もったいない」を減らそう

私たちができるはじめの一歩

少し気をつけるだけで、もったいないを減らせるね

❶自分が食べるとき

苦手な食べ物を残してしまいそうなときは、つくって届けてくれる人のこと、食品がたどってきた道のりを想像し、少しでも挑戦してみよう。バランスよく栄養をとり、健康な身体づくりをするためにも役立つ

❷調理するとき

冷蔵庫に、期限間近の食材が残っていたり、調理中に過剰除去が起きていないか見直してみよう。調理をする人と一緒に、上手に食材を使いきる献立を考えたり、調理の工夫をしても楽しい

❸食材・食品を買うとき

スーパーやコンビニで買い物をするとき、てまえどりも心掛けたい

ここまで読み進めてくださったみなさんには、食品ロスが、世界の環境や経済、平等性など、さまざまな課題とつながっていることを、感じてもらえたのではないでしょうか。とはいえ、自分にできることを考えると、悩んでしまう人がいるかもしれません。食品ロスを減らし、なくしていくための最初の一歩は、みなさんの身近なもったいないを知り、減らす

ことです。

まずは、みなさん自身が、食品のもったいないを生み出していないか、見直してみてください。

みなさん自身をふり返ったあとは、少しずつ視野を広げてみましょう。食卓に並ぶ料理がつくられている間に、もったいないは生まれていないでしょうか？

地球と体にやさしい食品ロス対策

地産地消

運ぶときの二酸化炭素排出を減らすことで、環境にもやさしい

旬の食べ物を食べる

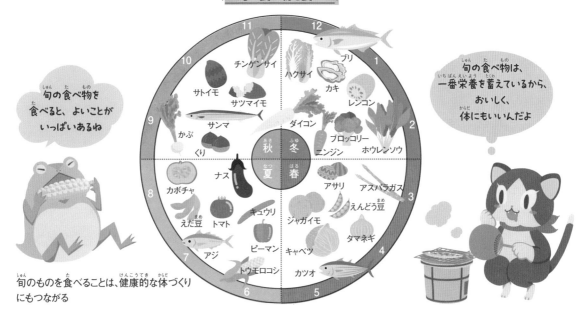

旬の食べ物を食べると、よいことがいっぱいあるね

旬の食べ物は、一番栄養を蓄えているから、おいしく、体にもいいんだよ

旬のものを食べることは、健康的な体づくりにもつながる

また3章では、さまざまなものさしを紹介し、食品を遠くから運ぶほど、環境に負担をかけることも見てきました。最近では、地産地消という言葉がよく聞かれます。これは、地域でつくられた野菜や果物、とれた水産物などを、その地域で消費することです。環境への配慮はもちろんですが、つくった人の顔が見えることで、安心につながったり、親しみを持って大切に食べることにもつながりそうです。

食事は、私たち一人ひとりにとって、生きていく上で欠くことのできないものです。まずは、身のまわりの人と一緒に、食品や食べることを自分事として、あらためて考えてみましょう。それが大きな第一歩です。

あたらしい取り組みを
つくってみよう

アイデアでみんなを巻き込んでいこう

身近な食べ物を調べてみよう

　もう少し、工夫して取り組んでみたいというみなさんには、家族や友だち、学校のみんなを巻き込んで、食品について、考える場をつくってもらいたいと思います。この本にも、そのヒントになるものを、いろいろと紹介してきました。

　たとえば、牛肉のパックに表示された、牛の個体識別情報（→59ページ）を調べることで、食卓に並ぶ肉が、どのような旅をしてやってきたのか、想像をふくらませることができます。ほかの身近な食品についても、どうやってつくられるのか、どのような道のりをたどってくるのか、調べてみてください。実は、知らないことばかりかもしれません。みんなで発見したことを、話し合ってみるのはどうでしょうか。

　ほかにも、輸入している食料を、日本でつくるとしたら、どれくらいの水が必要か、その水量を表すバーチャルウォーター（→79ページ）をかんたんに調べる方法も紹介しました。

みんなで考える場をつくろう

❶調べ学習

ひとつの食品にも、見えないたくさんの情報がかくれている。誰よりも詳しくなるつもりで調べてみよう

❷ワークショップ

みんなで調べ、発見したことを話し合ってみよう。インターネットを使う場合や、書かれている言葉が難しいときは、身近な大人の人にも協力してもらおう

❸工場見学

食品をつくっている場所は、見学ができることも多い。大人の人と相談して、機会があれば、ぜひ足を運んでみよう

みんなで一緒に話し合える場所がつくれるといいね

食品ロスをどうしたら減らせるかみんなで考えてみよう

　私たちが手に取る食品から、それをつくるために必要なものを想像するのは、かんたんではありません。くわしく調べると、おもしろい発見やおどろきがあるかもしれません。食品そのものだけではなく、目には見えない背景にも、想像をふくらませてみてください。

　また、野菜や果物を育てる体験をしたことのある人も多いでしょう。これも、食品について考える近道のひとつです。育てるところから、むだなく調理して、大切に食べるところまで、まわりの人と一緒に、一つひとつ話し合いながら体験してみましょう。育てている野菜や果物の産地や流通方法、どのような加工食品があるのかなど、雑学を集めるのも楽しいと思います。やってみたいこと、調べてみたいことが、どんどんふくらんでいくとよいですね。

　これらのほかにも、それぞれのページからヒントを探して、みなさんのアイデアで、いろいろな「やってみよう!」を生み出してください。

おわりに

どのような食品を、
どのように食べつづけていきたいか、
みなさん一人ひとりの想いが、
食品の世界や食品ロスの課題を、
変えていくことにつながっていきます。

ぜひ、みんなで一緒に、
小さな行動からはじめていきましょう！

2023年10月　西岡 真由美

謝辞

本書の制作に多大なるご協力をいただきました。
ここに、あらためて御礼申し上げます。

［ご協力いただいた先生方］
◎堂高 千束 先生（富山県砺波厚生センター小矢部支所長）

◎小出 剛 先生（国立遺伝学研究所 遺伝形質研究系 准教授）

◎江面 浩 先生（筑波大学 生命環境系 教授）

◎沖 大幹 先生（東京大学大学院工学系研究科 教授）

◎辻村 英之 先生（京都大学 農学研究科 教授）

◎荒木 一視 先生（立命館大学 食マネジメント学部 教授）

◎野々村 真希 先生（東京農業大学 国際食料情報学部 食料環境経済学科 准教授）

［ご協力いただいた機関］
◎香川県 環境森林部 環境管理課

◎奈良県 生駒市 地域活力創生部 SDGs推進課

図表の出典

0章（序章）

◎ p.14「食品ロスの問題点」／一般社団法人 産業環境管理協会 資源・リサイクル促進センター、
「食品の廃棄と食品ロス」、https://www.cjc.or.jp/school/d/d-2-4.html

◎ p.17「消費期限と賞味期限のちがいは?」／消費者庁、
パンフレット「知っておきたい食品の表示」（令和5年3月版・消費者向け）、
https://www.caa.go.jp/policies/policy/food_labeling/information/pamphlets/assets/food_labeling_
cms202_230324_01.pdf

◎ p.19「3分の1ルールってなんだろう?」／消費者庁「食品ロス削減に向けた取組」、
https://www.caa.go.jp/policies/policy/consumer_policy/information/food_loss/conference/
pdf/121012adjustments_1.pdf

◎ p.23「食品ロス量の推移」／農林水産省「食品ロス量の推移（平成24～令和3年度）」、
https://www.maff.go.jp/j/press/shokuhin/recycle/attach/pdf/230609-1.pdf

◎ p.24「食品ロス」／国際連合食糧農業機関（FAO）" The State of Food and Agriculture 2019"、
https://www.fao.org/3/ca6030en/ca6030en.pdf

1章

◎ p.26「世界のハンガーマップ」／国際連合世界食糧計画（WFP）"Hunger Map 2021"、
https://docs.wfp.org/api/documents/WFP-0000132038/download/

◎ p.27「世界人口の移り変わりと予測」／国際連合経済社会局（DESA）
"World Population Prospects 2022 Online Edition"

◎ p.28「世界の食料自給率」／農林水産省「令和4年度　食料自給率・食料自給力指標について」、
https://www.maff.go.jp/j/press/kanbo/anpo/attach/pdf/230807-6.pdf

◎ p.29「世界の品目別自給率」／農林水産省「食料需給表　令和4年度」（第1報）、
https://www.maff.go.jp/j/tokei/kouhyou/zyukyu/

◎ p.30「食卓に見る日本の食料自給率」／農林水産省
「令和4年度　食料自給率・食料自給力指標について」、
https://www.maff.go.jp/j/press/kanbo/anpo/230807.html

◎ p.31「牛肉の場合」／農林水産省「令和4年度　食料自給率・食料自給力指標について」、
https://www.maff.go.jp/j/press/kanbo/anpo/230807.html

2章

◎p.36「江戸時代の市場」／東京都中央卸売市場「市場の歴史と年表—江戸時代の日本橋の魚河岸」,
https://www.shijou.metro.tokyo.lg.jp/about/history/

◎p.39「平均寿命の変化」／厚生労働省「第20回　生命表(完全生命表)—
3. 第20回生命表について」, https://www.mhlw.go.jp/toukei/saikin/hw/life/20th/p02.html／
「令和4年簡易生命表の概況」,　https://www.mhlw.go.jp/toukei/saikin/hw/life/life22/index.html

◎p.41「農作物のフードチェーン」／有坪民雄「イラスト図解　農業のしくみ」,
日本実業出版社(2003年)

◎p.47「縄文時代の釣針」／北海道洞爺湖町教育委員会(所蔵)

◎p.47「鮒ずし」／日比野 光敏(所蔵)／株式会社Mizkan
「すしラボ　すしの歴史(1) 日本古来の「発酵ずし」と、最古のすし屋「つるべすし　弥助」」,
https://www.mizkan.co.jp/sushilab/manabu/0.html

◎p.51「水産資源のとりすぎ」／国際連合食糧農業機関(FAO)
「The State of World Fisheries and Aquaculture 2022」,
https://www.fao.org/documents/card/en?details=cc0461en

◎p.53「MSCの水産エコラベル」／一般社団法人 MSCジャパン

◎p.53「ASCの水産エコラベル」／水産養殖管理協議会(ASC)

◎p.53「MELの水産エコラベル」／一般社団法人マリン・エコラベル・ジャパン協議会

◎p.56「黒毛和種」「無角和種」「日本短角種」／独立行政法人 家畜改良センター

◎p.56「褐毛和種」／熊本県 農林水産部 農業研究センター, 褐毛和種種雄牛「光重球磨七」

◎p.57「ランドレース種」「大ヨークシャー種」「中ヨークシャー種」「デュロック種」「バークシャー種」
「ハンプシャー種」／独立行政法人 家畜改良センター

◎p.61「鶏肉のフードチェーン」／沖縄食鶏加工株式会社「鶏肉の生産から消費者までのイメージ」

◎p.62「出荷して食品になるまで」／兵庫県保健医療部 生活衛生課
「食肉衛生検査センターだより」(畜産技術ひょうご79号　発行:2005年12月28日)

◎p.63「白色コーニッシュ」「白色プリマスロック」「ローアイランドレッド」
「名古屋コーチン」「白色レッグホン」／独立行政法人 家畜改良センター

◎p.63「比内地鶏」／あきた北農業協同組合

◎p.63「薩摩鶏」／鹿児島県地鶏振興協議会

◎p.65「乳牛はどうやって乳を出しつづけているの?」／一般社団法人中央酪農会議
「調べ学習のための　酪農キッズファーム　牛の一生」,
https://www.dairy.co.jp/kidsfarm/cow/uh0101.html

◎p.68「ワンヘルス」／福岡県保健医療介護部保健医療介護総務課ワンヘルス総合推進室

3章

◎p.70「2022年の日本の食品輸出」／農林水産省「2022年1－12月　農林水産物・食品の輸出額」,
https://www.maff.go.jp/j/press/yusyutu_kokusai/kikaku/attach/pdf/230203-1.pdf

◎p.73「土地や水が足りない国がある」／Marianela Fader et al.
" Spatial decoupling of agricultural production and consumption: quantifying dependences of countries on food imports due to domestic land and water constraints "（2013）

◎p.78「ウォーターフットプリントの考え方」／Water Footprint Network,
"Product Gallery", July 21, 2023

◎p.79「食品として輸入している水の量」／犬塚俊之・新田友子・花崎直太・鼎信次郎・沖大幹
「水の供給源に着目した日本における仮想的な水輸入の内訳」（2008）

◎p.79「バーチャルウォーターってなんだろう?」／環境省「仮想水計算機」,
https://www.env.go.jp/water/virtual_water/kyouzai.html

◎p.80「フード・マイレージの考え方」／農林水産省, 日本の「食料」を学ぶ　数字で学ぶ「日本の食料」,
「海外から日本への主な農産物輸入ルート」（2023年）,
https://www.maff.go.jp/j/pr/aff/230

◎p.81「輸入食料フード・マイレージ」／中田 哲也「フード・マイレージ資料室」,
https://food-mileage.jp/2020/05/04/【フード・マイレージ】

◎p.82「1杯のコーヒーに見る価値のつながり」／辻村英「おいしいコーヒーの経済論」,
太田出版,（2009年）

◎p.83「国際フェアトレード認証ラベル」／特定非営利法人フェアトレード・ラベル・ジャパン

◎p.83「WFTO保証ラベル」／世界フェアトレード連盟

◎p.85「1人当たりのエコロジカル・フットプリント（2018年）」／
Footprint Data Foundation, York University Ecological Footprint Initiative, and Global Footprint Network: National Footprint and Biocapacity Accounts, 2023 edition.
Downloaded [July 21, 2023] from https://data.footprintnetwork.org.

◎p.86「SDGs」／国際連合「Sustainable Development Goals（持続可能な開発目標）」

4章

◎p.92「3分の1ルールのおさらい」／消費者庁「食品ロス削減に向けた取組」,
  https://www.caa.go.jp/policies/policy/consumer_policy/information/food_loss/conference/
  pdf/121012adjustments_1.pdf

◎p.95「必要な分を必要なときに届ける」／国分グループ本社株式会社「フローズンチルド対応」(2022),
  https://www.kokubu.co.jp/sustainability/environment/pdf/kankyo_torikumi_2022.pdf

◎p.96「ろすのん」／農林水産省　新事業・食品産業部外食・食文化課食品ロス・リサイクル対策室,
  https://www.maff.go.jp/j/shokusan/recycle/syoku_loss/161227.html

◎p.97「楽しみながら食品ロス対策」／株式会社アッシェ「もぐもぐチャレンジ」,
  https://mognny.fun/challenge/

◎p.102「「おそなえ」をみんなのおやつにする」／認定NPO法人おてらおやつクラブ,
  https://otera-oyatsu.club/activities/osusowake/

◎p.103「夜だけ開くパン屋さん」／ビッグイシュー日本 夜のパン屋さん,
  https://yorupan.jp/

◎p.103「町と企業が協力する取り組み」／株式会社電通CXCCのプロジェクトチーム「キャラベジ」,
  https://www.dentsu.co.jp/showcase/charavege.html

◎p.105「食品のリサイクル一覧」／農林水産省「食品ロス及びリサイクルをめぐる情勢」,
  https://www.maff.go.jp/kanto/syo_an/seikatsu/iken/attach/pdf/R3ikenkoukan-2.pdf

◎p.107「OZHARVEST」／OzHarvest,
  https://www.ozharvest.org/

参考書籍・冊子

◎「今日からなくそう!食品ロス〜わたしたちにできること〜　(1)食べられるのに捨てられちゃうの?」
　上村 協子[監修]幸運社[編]／汐文社(2020)
◎「考える (食育基本シリーズ5) 」服部栄養料理研究会[監修]こどもくらぶ[編]／フレーベル館(2009)
◎「いきいき食育12カ月〈第3集〉いただきます」関はる子[監修]／健学社(2006)
◎「イラスト図解　農業のしくみ」有坪 民雄[著]／日本実業出版社(2003)
◎「日本の水産業 (ポプラディア情報館) 」小松 正之[監修]／ポプラ社(2008)
◎「調べよう日本の水産業 (3) 漁業のいま・これから」坂本 一男[監修]／岩崎書店(2005)
◎「守ろう・育てよう 日本の水産業 (3) 未来をつくる」坂本 一男[監修]／岩崎書店(2016)
◎「ゼロから理解する 食肉の基本:家畜の飼育・病気と安全・流通ビジネス(すぐわかるすごくわかる!) 」
　西村 敏英[監修]／誠文堂新光社(2013)
◎「肉の機能と科学 (食物と健康の科学シリーズ)」松石 昌典, 西邑 隆徳, 山本 克博[編]
　朝倉書店(2015)
◎「最新 家畜臨床繁殖学」山内 亮[監修]
　大地 隆温, 小笠 晃, 金田 義宏, 河上 栄一, 筒井 敏彦, 百目鬼 郁男, 中原 達夫[著]
　朝倉書店(1998)
◎「乳の科学 (食物と健康の科学シリーズ)」上野川 修一[編]／朝倉書店(2015)
◎「アニマルウェルフェア—動物の幸せについての科学と倫理」佐藤 衆介[著]／東京大学出版会(2005)
◎「FAO世界の食料・農業データブック—世界食料サミットとその背景—(下)生産技術と環境／
　国際協力と貿易」国際連合食糧農業機関[編]国際食糧農業協会[訳]／国際食糧農業協会(1998)
◎「水と社会 水リテラシーを学ぶ8つの扉」林 大樹, 西山 昭彦, 大瀧 友里奈[編]
　東京大学出版会(2019)
◎「カウントダウン 世界の水が消える時代へ」レスター・R.ブラウン[著]枝廣 淳子[監訳]／海象社(2020)
◎「食料の地理学の小さな教科書」荒木 一視[編]／ナカニシヤ出版(2013)
◎「おいしいコーヒーの経済論(「キリマンジャロの」苦い現実」)」辻村 英之[著]／太田出版(2009)
◎「ファーストブック　身近なプラスチックがわかる」西岡 真由美[著]／技術評論社(2020)
◎「お肉の食育Q&A お肉はどうやって食卓にとどくの?」公益社団法人 全国食肉学校, 柴田 博[監修]
　全国食肉事業協同組合連合会(2023)

◎ Marianela Fader et al., "Spatial decoupling of agricultural production and consumption: quantifying dependences of countries on food imports due to domestic land and water constraints", Environment Research Letters, Vol. 8, No. 1 (2013)

◎ T. Inuzuka et al., "Detailed analysis on the virtual water import to Japan focusing on the origin of water supply", 水工学論文集. 第52巻 (2008)

◎ United Nations, "World Population Prospects 2019", (2019)

◎ 農林中金総合研究所,「農林金融」, 2017年8月号 (2017)

◎ The Food and Agriculture Organization (FAO),
"The State of World Fisheries and Aquaculture 2022", (2022)

◎ The Food and Agriculture Organization (FAO),
"The State of Food and Agriculture 2019", (2019)

◎ World Wildlife Fund(WWF),
"Driven to Waste: The Global Impact of Food Loss and Waste on Farms", (2021)

参考ウェブサイト

◎ 農林水産省, https://www.maff.go.jp/

◎ 環境省「食品ロスポータルサイト」, https://www.env.go.jp/recycle/foodloss/index.html

◎ 環境省「virtual water」, https://www.env.go.jp/water/virtual_water/

◎ 消費者庁, https://www.caa.go.jp/

◎ 国際連合食糧農業機関(FAO), https://www.fao.org/home/en/

◎ 株式会社クボタ「クボタのたんぼ」, https://www.kubota.co.jp/kubotatanbo/

◎ 独立行政法人 家畜改良センター「牛の個体識別情報検索サービス」,
  https://www.id.nlbc.go.jp/top.html

◎ 一般社団法人 日本食鳥協会, https://www.j-chicken.jp/

◎ 独立行政法人 日本貿易振興機構(ジェトロ), https://www.jetro.go.jp/

◎ 鳥取大学乾燥地研究センター「きみもなろう!砂漠博士」,
  https://www.alrc.tottori-u.ac.jp/japanese/sabaku_hakase/index.html

◎ water footprint network, https://www.waterfootprint.org/

◎ 中田 哲也「フード・マイレージ資料室」, https://food-mileage.jp/

◎ Global Footprint Network, https://www.footprintnetwork.org/

◎ 特定非営利法人 エコロジカル・フットプリント・ジャパン, https://ecofoot.jp/

◎ 認定NPO法人 おてらおやつクラブ, https://otera-oyatsu.club/

◎ ビッグイシュー日本 夜のパン屋さん, https://yorupan.jp/

◎ Olio, https://olioapp.com/en/

◎ WRAP, https://wrap.org.uk/

◎ OZHARVEST, https://www.ozharvest.org/

◎ REIF, https://ki-reif.de/

◎ Berliner Tafel e.V., https://www.berliner-tafel.de/

索引（さくいん）

索引

索引

ま・や・ら・わ行

著者略歴

西岡 真由美 （ニシオカ マユミ）

麻布大学獣医学部卒業。ノンフィクションライター、獣医師。
動物病院勤務を経て、2013年よりサイエンスコミュニケーションに携わり、複数の大学、科学館等で研鑽を積む。現在は、ノンフィクションライターとして、「人と動物の関わり」や「人物」をテーマに、その社会背景までを描くことをライフワークとしている。大学や研究機関のウェブサイト、科学雑誌等で記事を掲載。上記をテーマとしたワークショップの企画、運営も手掛ける。Forbes JAPANオフィシャルコラムニスト。著書として「ファーストブック　身近なプラスチックがわかる」（技術評論社）がある。

イラストレーター略歴

小野﨑 理香 （オノザキ リカ）

2006年、武蔵野美術大学視覚伝達デザイン学科卒業、2008年、東京芸術大学大学院映像研究科修士課程修了、会社員を経てフリーランスのイラストレーター、映像クリエイターとして独立。2018年"JIA Illustration Award 2018"でグランプリ受賞。幅広いタッチで多くの書籍の挿絵・イラストを手がけている。

■本書へのご意見、ご感想について
本書に関するご質問については、下記の宛先にFAX もしくは書面、小社ウェ
ブサイトの本書の「お問い合わせ」よりお送りください。
電話によるご質問および本書の内容と関係のないご質問につきましては、お
答えできかねます。あらかじめ以上のことをご了承の上、お問い合わせください。
ご質問の際に記載いただいた個人情報は質問の返答以外の目的には使用い
たしません。また、質問の返答後は速やかに削除させていただきます。

〒162-0846　東京都新宿区市谷左内町21-13
株式会社技術評論社　書籍編集部
「やさしくわかる食品ロス」質問係

FAX番号：03-3267-2271

本書ウェブページ：
https://gihyo.jp/book/2023/978-4-297-13759-5

本書ウェブページの
QRコード

カバー・本文デザイン
神永愛子（primary inc.,）

DTP
松尾美恵子／山口勉
（primary inc.,）

編集
最上谷栄美子

未来につなげる・みつけるＳＤＧｓ

やさしくわかる食品ロス
～捨てられる食べ物を減らすために知っておきたいこと～

2023年　12月　1日　初版　第1刷発行

著　者　　西岡 真由美
発行者　　片岡 巌
発行所　　株式会社技術評論社
　　　　　東京都新宿区市谷左内町21-13
　　　　　電話　03-3513-6150　販売促進部
　　　　　　　　03-3267-2270　書籍編集部
印刷／製本　株式会社 加藤文明社

ISBN 978-4-297-13759-5 C0036
Printed in Japan